FRIEDRICH SCHILLER

Gedichte

EINE AUSWAHL

HERAUSGEGEBEN VON
GERHARD FRICKE

PHILIPP RECLAM JUN. STUTTGART

Umschlagabbildung: Friedrich Schiller.
Stich von J. G. Müller (1794) nach einem Gemälde von
Anton Graff.

Universal-Bibliothek Nr. 7714
Alle Rechte vorbehalten
© 1952, 1980 Philipp Reclam jun. GmbH & Co., Stuttgart
Gesamtherstellung: Reclam, Ditzingen. Printed in Germany 1996
RECLAM und UNIVERSAL-BIBLIOTHEK sind eingetragene Marken
der Philipp Reclam jun. GmbH & Co., Stuttgart
ISBN 3-15-007714-1

Einleitung

Die Lyrik, aber auch die Balladendichtung Schillers stand von jeher im Schatten seiner eigentlichen und eigensten Leistung: des hohen Dramas. Neben der in sich selber seligen, liedhaften Natur- und Liebeslyrik Goethes, Brentanos, Mörikes, in der die innerste Selbsterfahrung des Dichters sich so gültig in Klang und Gebild verwandelt, daß jedes Gemüt, unwiderstehlich ergriffen von der Unmittelbarkeit und Innigkeit des reinen Seelenlauts, empfindet: das bist du selbst – neben dieser reinen Stimmungs- und Erlebnislyrik hatten Schillers Gedichte es niemals leicht, sich zu behaupten. Andererseits gibt es, zumindest im vergangenen Jahrhundert, wenig, was so breit und tief zu Ohr und Herz des Volkes gefunden, was so zum inneren Besitz der Nation geworden wäre, wie Schillers Balladen und viele seiner Gedichte. Man hat sich daran gewöhnt, sie als ›Gedankenlyrik‹ zu bezeichnen, und diese Charakteristik neigt dazu, den rein künstlerisch-poetischen Wert abzuschwächen und in Frage zu stellen. Man knüpft dabei nicht nur an Wilhelm von Humboldts treffende Bemerkung an, daß Schillers Dichtung »innig an die Kraft des Gedankens gebunden war, der vielleicht in einem höheren und prägnanteren Sinn als je bei einem andern das Element seines Lebens war«. Man konnte sich auch auf eigene Äußerungen des Dichters berufen, der bald nach dem Übergang aus dem Dresdner Freundeskreis in die Jenaer Wirksamkeit das »lyrische Fach« »eher für ein Exilium als für eine eroberte Provinz« hielt und der, als ihm nach der Verbindung mit Goethe dessen andersgeartete Poesie in ihrer ganzen seinshaltigen Fülle aufging, dem neugewonnenen Freunde fast resignierend und überbescheiden schrieb: »Mein Verstand wirkt eigentlich mehr symbolisierend, und so schwebe ich, als eine Zwitterart, zwischen dem Begriff und der Anschauung, zwischen der Regel und

der Empfindung, zwischen dem technischen Kopf und dem
Genie [. . .], gewöhnlich übereilt mich der Poet, wo ich
philosophieren sollte, und der philosophische Geist, wo ich
dichten wollte. Noch jetzt begegnet es mir häufig genug,
daß die Einbildungskraft meine Abstraktionen und der kalte
Verstand meine Dichtung stört.« Aber dem ließen sich
mühelos andere Äußerungen an die Seite stellen, in denen
Schiller nicht nur die Schwäche, sondern auch die Stärke,
das eigene Recht und das nicht minder hohe, ja höhere Ziel
seiner Art zu dichten gegenüber der stets rückhaltlos
bewunderten Naturgabe Goethes begründet, wie es am ein-
dringlichsten in der Abhandlung *Über naive und sentimen-
talische Dichtung* geschieht.

So ist die Bezeichnung ›Gedankenlyrik‹ gefährlich, denn sie
verführt zu dem Irrtum, als würden hier Begriffe und Theo-
rien in Reime gefaßt und in Bilder gekleidet. Tatsächlich
aber ist ›Gedanke‹ und ›Idee‹ bei Schiller der von der gesam-
melten, leidenschaftlichen Kraft des ganzen Gemüts unab-
trennbare Bezug zu einer höheren, der wahren und ewigen
Welt, die der Dichter als die eigentliche Bestimmung des
Menschen, als seine wahre Heimat empfindet. Der
›Gedanke‹ ist hier kein toter Begriff. Er lebt davon, daß
das Höchste, das Göttliche ›denkt‹, daß er den ganzen
Menschen steigernd, anspannend, erneuernd in Bezug setzt
zu dem, was als forderndes und erlösendes Soll, aller Flucht
und Gebrechlichkeit des Seins überlegen, in der tiefsten
Brust jedes Menschen vernehmbar wird. So ist Schillers
Dichtung, die den Hörer zu ergreifen und zu verwandeln
trachtet, selber die Aussage eines Ergriffenen, für den in
seiner Weise das Hölderlinsche Wort gilt: Beruf ist mir, zu
kündigen Höheres. Und so ist auch das Pathos, das eine
vom Bedürfnis des Unbedingten und der Gewißheit des
Ewigen entfernte Zeit so häufig mißverstand, der legitime
und notwendige Stil, in dem sich Ergriffensein durch ein
Höchstes, Unbedingtes aussagt und in dem das Göttliche
bezeugt wird. Und nicht minder notwendig wird in einer

Dichtung, deren letzter und eigentlicher ›Gegenstand‹ die höhere Welt ist, alles Individuelle, Persönliche, Private als gleichgültig und wesenlos verschwinden vor dem Glanz dieser allein wesenhaften höheren Wirklichkeit, der sich zu nähern und die zu bezeugen der Beruf des Dichters ist. So wäre nichts irreführender, als der ›Gedankendichtung‹ Schillers die ›Erlebnisdichtung‹ etwa Goethes gegenüberzustellen. In Wahrheit ist Schillers Dichtung nicht weniger erlebnisgetragen, sein innerstes Selbst der Dichtung nicht weniger innewohnend als es bei Goethe der Fall ist. Der tiefe Unterschied liegt allein in dem Was und dem Wie des Erlebens. Und Schiller gehört — trotz seiner Wendung zur klassischen Ethik und Ästhetik und trotz der Rationalisierung, die sein religiös enthusiastisches, kosmisch gerichtetes Urerlebnis des Unendlichen und des Unbedingten dadurch erfuhr, daß es sich auf die kritische Transzendentalphilosophie Kants gründete — jener zweiten großen Richtung lyrischer Poesie an, die gleichen Rechts neben der ›naiven‹ und ›reinen‹ Lyrik steht: der ursprünglich religiösen, verkündenden, zuinnerst hymnisch gerichteten Lyrik, die nicht selig in sich selber ruht, sondern deren Herkunft Ergriffenheit und Begeisterung, deren Ziel das Sursum corda ist und die von Pindar über Klopstock bis zu Hölderlin und dem späten Rilke ihre erlauchten Vertreter zählt.

Dementsprechend ist das Besondere und Eigene der Lyrik Schillers nicht in dem Wohlklang, der Musikalität, dem mühelosen Fluß seiner Verse zu suchen, nicht in der flutenden Pracht der Bilder oder dem beseelten, durchgeistigten Adel einer Sprache, die auf ihren Höhepunkten Stoff und Form aufs innigste vermählt und den unendlichen, ewigen Sinn in der seligen, schwerelosen Freiheit und Heiterkeit der schönen, der vollkommenen Gestalt erscheinen läßt. Schillers eigenstem Wesen entspringt die Unaufhaltsamkeit, der unwiderstehliche Schwung, die nie ermattende Spannkraft der Seele, die den unverkennbaren und doch schwer zu fassenden Rhythmus seiner Gedichte, ihre innere Form

bestimmt. Hier, nicht in einem isolierbaren theoretischen
Gedankenzusammenhang schlägt das Herz dieser Dichtung,
die nicht nur da sein, sondern zugleich wirken will. Was will
sie bewirken? Sie will den Hörer, wenn irgend in ihm
Fähigkeit und Bedürfnis wahrer Freiheit lebt, über Angst
und Streit des Irdischen erheben, sie will ihn stärken, indem
sie im Bilde des Schönen das himmlische Ziel und die ewige
Verheißung über dem irdischen Wege aufleuchten läßt, sie
will seine Kraft steigern, das immerwährende Gefecht des
Lebens ohne Erschlaffung zu bestehen. Nirgends tritt diese
unerhörte seelische Flugkraft, der lodernde Atem, die bei-
spiellose Gespanntheit zwischen Vergänglichem und Ewigem, Endlichem und Unendlichem, Bedingtheit und Freiheit unmittelbarer und hinreißender hervor als in den leidenschaftlichen Aufschwüngen der Jugendgedichte mit ihrer
kühnen und rücksichtslosen Antithetik, ihren gewaltsam
aufgehäuften und oft grellen Klängen und Bildern. Aber
Klang und Bild sind niemals Selbstzweck. Sie sind nur da,
um augenblicklich Phantasie und Gefühl zu beschwingen,
die doch unaufhaltsam weiterstürmend nach neuen, groß-
artigeren Vorstellungen greifen, die sie wie auf Flügeln dem
All und der Gottheit nähertragen. Hier liegt der glühende
Kern aller Schillerschen Poesie. Von hier geht jene großar-
tige Bewegung nach oben aus, von der die frühen Gedichte
von der *Freundschaft* und der *Melancholie* bis hin zum Lied
An die Freude erfüllt sind. Wohl blieb weder dem jugendlichen noch dem reifen Schiller Schmerz und Klage der
Preisgegebenheit und des Gebundenseins an die Fesseln
des Irdischen erspart. Aber das unvergleichliche Agens
seiner Dichtung blieb dennoch der sich verzehrende, von
Tag zu Tag sich läuternd verwandelnde Empordrang in die
ewige und freie Welt des Wahren, Guten und Schönen, das,
was Goethe später einmal die »Christustendenz« in ihm
genannt hat. Auch bei Schiller erwächst die Dichtung aus
jener Wurzel, in der Erlebnis und Dichtung noch eins sind.
Und nicht, soweit wir ihren Gedanken folgen, sondern

soweit wir ihr Erlebnis teilen, wird sie sich uns erschließen.

In zwei Perioden bricht das lyrische Schaffen Schillers stärker hervor: in der schwäbischen Frühzeit und in den ersten Jahren nach der Begegnung mit Goethe. Die *Anthologie auf das Jahr 1782* barg die Jugendernte, reich an großartigen Wendungen und Würfen, so wenig sie auch der spätere klassische Meister des Maßes und der Harmonie noch gelten ließ. Klopstock, Hölty, Schubart wirkten ein; aber Ton und Rhythmus Schillers sind weit stärker als alle Vorbilder. Nach der Flucht aus der Heimat entstanden nur noch gelegentlich, aus aufwühlenden Erlebnissen heraus, einzelne Gedichte (aus der leidenschaftlichen Begegnung mit Charlotte von Kalb: *Freigeisterei der Leidenschaft* und *Resignation*, aus der beglückenden Gemeinschaft mit den Dresdner und Leipziger Freunden das Lied *An die Freude*). *Die Götter Griechenlands* und das große Geschichts- und Kunstpanorama *Die Künstler* zeigen Schiller im Übergang zu einer neuen Anschauung des Lebens wie der Poesie. In den folgenden Jahren, in denen er in entsagungsvoller Gedankenarbeit, anknüpfend an Kants ethische und ästhetische Erkenntnisse, das Wesen des Schönen, die Sendung der Kunst und ihr Verhältnis zum Guten und Wahren neu begründete, verstummte der lyrische wie der dramatische Dichter. Erst als er hier volle Klarheit und Gewißheit gefunden hatte und als ihm in der Freundschaft mit Goethe die beglückende und belebende Begegnung mit einem poetischen Naturgenie zuteil wurde, setzte, seit 1795, eine neue, reiche lyrische Schaffenszeit ein. Mit dem epigrammatischen Feldzug der *Xenien* (d. h. ›Gastgeschenke‹), der in Hunderten satirischer Distichen (Zweizeiler aus je einem Hexameter und einem Pentameter) die schläfrige und gemeine Mittelmäßigkeit des literarischen und geistigen Lebens in Deutschland geißelte, begann das Zusammenwirken beider Dichter. Diesem reinigenden Gewitter folgte eine gemeinsame schöpferische Leistung: 1797 wurde das Jahr der Ballade. Hier recht eigentlich wurde die von Bürger ins Leben gerufene neuere Kunstballade als gültige poetische Gattung begründet. Daneben entstanden als die reifsten, in sich vollendeten Zeugnisse Schillerschen Geistes *Das Ideal und das Leben*, *Der Spaziergang* und an der Jahrhundertwende *Das Lied von der Glocke*.

Im Jahre 1800 veranstaltete Schiller eine erste Sammlung seiner Gedichte. Ihr folgte 1803 eine zweite, in die Schiller den größten Teil der von der ersten Sammlung noch ausgeschlossenen Jugendgedichte aufnahm. Der Plan einer beide Sammlungen vereinenden ›Prachtausgabe‹ der Gedichte wurde durch seinen frühen Tod zunichte, dessen Nähe und ständige Bedrohung Schillers Leben und Schaffen in dem letzten reichen Jahrzehnt der dichterischen Ernte begleitet hatte.

Frühe Gedichte

An die Sonne

Preis dir, die du dorten heraufstrahlst, Tochter des
                                         Himmels!
   Preis dem lieblichen Glanz
Deines Lächelns, der alles begrüßet und alles erfreuet!
   Trüb in Schauern und Nacht
Stand begraben die prächtige Schöpfung: tot war die
                                         Schönheit   5
   Lang dem lechzenden Blick;
Aber liebevoll stiegst du früh aus dem rosigen Schoße
   Deiner Wolken empor,
Wecktest uns auf die Morgenröte; und freundlich
   Schimmert' diese herfür   10
Über die Berg und verkündete deine süße Hervorkunft.
   Schnell begann nun das Graun
Sich zu wälzen dahin in ungeheuern Gebürgen.
   Dann erschienest du selbst,
Herrliche *du*, und verschwunden waren die neblichte
                                         Riesen!   15
   Ach! wie Liebende nun,
Lange getrennt, liebäugelt der Himmel zur Erden, und diese
   Lächelt zum Liebling empor;
Und es küssen die Wolken am Saume der Höhe die
                                         Hügel;
   Süßer atmet die Luft;   20
Alle Fluren baden in deines Angesichts Abglanz
   Sich, und es wirbelt der Chor
Des Gevögels aus der vergoldeten Grüne der Wälder
   Freudenlieder hinauf;
Alle Wesen taumeln wie am Busen der Wonne: 25
   Selig die ganze Natur!

Und dies alles, o Sonn! entquoll deiner himmlischen Liebe.
  Vater der Heilgen, vergib,
O vergib mir, daß ich auf mein Angesicht falle
  Und anbete dein Werk! –   30
Aber nun schwebet sie fort im Zug der Purpurgewölke
  Über der Könige Reich,
Über die unabsehbarn Wasser, über das Weltall:
  Unter ihr werden zu Staub
Alle Thronen, Moder die himmelaufschimmernden
                                            Städte;   35
  Ach! die Erde ist selbst
Grabeshügel geworden. Sie aber bleibt in der Höhe,
  Lächelt der Mörderin Zeit
Und erfüllet ihr großes Geschäft, erleuchtet die Sphären.
  O besuche noch lang,   40
Herrlichstes Fürbild der Edeln! mit mildem, freundlichem
                                            Blicke
  Unsre Wohnung, bis einst
Vor dem Schelten des Ewigen sinken die Sterne
  Und du selbsten erbleichst.

Brutus und Cäsar

Aus den »Räubern«

Brutus:
Sei willkommen, friedliches Gefilde!
Nimm den letzten aller Römer auf!
Von Philippi, wo die Mordschlacht brüllte,
Schleicht mein gramgebeugter Lauf.
Cassius, wo bist du? – Rom verloren!   5
Hingewürgt mein brüderliches Heer,
Meine Zuflucht zu des Todes Toren!
Keine Welt für Brutus mehr!

Cäsar:
Wer, mit Schritten eines Niebesiegten,
Wandert dort vom Felsenhang? –   10
Ha! wenn meine Augen mir nicht lügten?
Das ist eines Römers Gang. –
Tibersohn – von wannen deine Reise?
Dauert noch die Siebenhügelstadt?
Oft geweinet hab ich um die Waise,   15
Daß sie nimmer einen Cäsar hat.

Brutus:
Ha, du mit der dreiundzwanzigfachen Wunde!
Wer rief Toter dich ans Licht?
Schaudre rückwärts, zu des Orkus Schlunde,
Stolzer Weiner! – Triumphiere nicht!   20
Auf Philippis eisernem Altare
Raucht der Freiheit letztes Opferblut;
Rom verröchelt über Brutus' Bahre,
Brutus geht zu Minos – Kreuch in deine Flut!

Cäsar:
O ein Todesstoß von Brutus' Schwerte!   25
Auch du – Brutus – du?
Sohn – es war dein Vater – Sohn – die Erde
Wär gefallen dir als Erbe zu.
Geh – du bist der größte Römer worden,
Da in Vaters Brust sein Eisen drang;   30
Geh – und heul es bis zu jenen Pforten:
Brutus ist der größte Römer worden.
Da in Vaters Brust sein Eisen drang.
Geh – du weißts nun, was an Lethes Strande
Mich noch bannte –   35
Schwarzers Schiffer stoß vom Lande!

Brutus:
Vater halt! – Im ganzen Sonnenreiche
Hab ich *einen* nur gekannt,

Der dem großen Cäsar gleiche.
Diesen einen hast du Sohn genannt.   40
Nur ein Cäsar mochte Rom verderben
Nur nicht Brutus mochte Cäsar stehn.
Wo ein Brutus lebt, muß Cäsar sterben,
Geh du linkswärts, laß mich rechtswärts gehn.

Hektors Abschied

Aus den »Räubern«

Andromache:
Willst dich, Hektor, ewig mir entreißen,
Wo des Äaciden mordend Eisen
Dem Patroklus schröcklich Opfer bringt?
Wer wird künftig deinen Kleinen lehren
Speere werfen und die Götter ehren,   5
Wenn hinunter dich der Xanthus schlingt?

Hektor:
Teures Weib, geh, hol die Todeslanze,
Laß mich fort zum wilden Kriegestanze,
Meine Schultern tragen Ilium;
Über Astyanax unsre Götter!   10
Hektor fällt, ein Vaterlandserretter,
Und wir sehn uns wieder in Elysium.

Andromache:
Nimmer lausch ich deiner Waffen Schalle,
Einsam liegt dein Eisen in der Halle,
Priams großer Heldenstamm verdirbt!   15
Du wirst hingehn, wo kein Tag mehr scheinet,
Der Cocytus durch die Wüsten weinet,
Deine Liebe in dem Lethe stirbt.

Hektor:
All mein Sehnen, all mein Denken
Soll der schwarze Lethefluß ertränken, 20
Aber meine Liebe nicht!
Horch! der Wilde rast schon an den Mauren –
Gürte mir das Schwert um, laß das Trauren,
Hektors Liebe stirbt im Lethe nicht!

Die Größe der Welt

Die der schaffende Geist einst aus dem Chaos schlug,
Durch die schwebende Welt flieg ich des Windes Flug,
    Bis am Strande
    Ihrer Wogen ich lande,
Anker werf, wo kein Hauch mehr weht 5
Und der Markstein der Schöpfung steht.

Sterne sah ich bereits jugendlich auferstehn,
Tausendjährigen Gangs durchs Firmament zu gehn,
    Sah sie spielen
    Nach den lockenden Zielen, 10
Irrend suchte mein Blick umher,
Sah die Räume schon – sternenleer.

Anzufeuren den Flug weiter zum Reich des Nichts,
Steur ich mutiger fort, nehme den Flug des Lichts,
    Neblicht trüber 15
    Himmel an mir vorüber,
Weltsysteme, Fluten im Bach
Strudeln dem Sonnenwandrer nach.

Sieh, den einsamen Pfad wandelt ein Pilger mir
Rasch entgegen – »Halt an! Waller, was suchst du hier?« 20
    »Zum Gestade
    Seiner Welt meine Pfade!

Segle hin, wo kein Hauch mehr weht
Und der Markstein der Schöpfung steht!«

»Steh! du segelst umsonst – vor dir Unendlichkeit!«   25
»Steh! du segelst umsonst – Pilger, auch hinter mir! –
    Senke nieder,
      Adlergedank, dein Gefieder!
Kühne Seglerin, Phantasie,
Wirf ein mutloses Anker hie.«   30

Hymne an den Unendlichen

Zwischen Himmel und Erd, hoch in der Lüfte Meer,
In der Wiege des Sturms trägt mich ein Zackenfels,
    Wolken türmen
      Unter mir sich zu Stürmen,
Schwindelnd gaukelt der Blick umher,   5
    Und ich denke dich, Ewiger.

Deinen schauernden Pomp borge dem Endlichen,
Ungeheure Natur! Du, der Unendlichkeit
    Riesentochter,
      Sei mir Spiegel Jehovas!   10
Seinen Gott dem vernünftgen Wurm
    Orgle prächtig, Gewittersturm!

Horch! er orgelt – Den Fels, wie er heruntderdröhnt!
Brüllend spricht der Orkan Zebaoths Namen aus.
    Hingeschrieben
      Mit dem Griffel des Blitzes: 15
Kreaturen, erkennt ihr mich?
    Schone, Herr! wir erkennen dich

Elegie auf den Tod eines Jünglings

Banges Stöhnen, wie vorm nahen Sturme,
  Hallet her vom öden Trauerhaus,
Totentöne fallen von des Münsters Turme,
  Einen Jüngling trägt man hier heraus:
Einen Jüngling – noch nicht reif zum Sarge,   5
  In des Lebens Mai gepflückt,
Pochend mit der Jugend Nervenmarke,
  Mit der Flamme, die im Auge zückt;
Einen Sohn, die Wonne seiner Mutter
  (O das lehrt ihr jammernd Ach),   10
Meinen Busenfreund, ach! meinen Bruder –
  Auf! was Mensch heißt, folge nach!

Prahlt ihr Fichten, die ihr hoch veraltet
  Stürmen stehet und den Donner neckt?
Und ihr Berge, die ihr Himmel haltet,   15
  Und ihr Himmel, die ihr Sonnen hegt?
Prahlt der Greis noch, der auf stolzen Werken
  Wie auf Wogen zur Vollendung steigt?
Prahlt der Held noch, der auf aufgewälzten
                         Tatenbergen
  In des Nachruhms Sonnentempel fleugt?   20
Wenn der Wurm schon naget in den Blüten:
  Wer ist Tor, zu wähnen, daß er nie verdirbt?
Wer dort oben hofft noch und hienieden
  Auszudauern – wenn der Jüngling stirbt?

Lieblich hüpften, voll der Jugendfreude,   25
Seine Tage hin im Rosenkleide,
  Und die Welt, die Welt war ihm so süß –
Und so freundlich, so bezaubernd winkte
Ihm die Zukunft, und so golden blinkte
  Ihm des Lebens Paradies;   30
Noch, als schon das Mutterauge tränte,

Unter ihm das Totenreich schon gähnte,
  Über ihm der Parzen Faden riß,
Erd und Himmel seinem Blick entsanken,
Floh er ängstlich vor dem Grabgedanken –   35
  Ach, die Welt ist Sterbenden so süß.

Stumm und taub ists in dem engen Hause,
  Tief der Schlummer der Begrabenen;
Bruder! ach, in ewig tiefer Pause
  Feiern alle deine Hoffnungen;   40
Oft erwärmt die Sonne deinen Hügel,
  Ihre Glut empfindest du nicht mehr;
Seine Blumen wiegt des Westwinds Flügel,
  Sein Gelispel hörest du nicht mehr;
Liebe wird dein Auge nie vergolden,   45
  Nie umhalsen deine Braut wirst du,
Nie, wenn unsre Tränen stromweis rollten, –
  Ewig, ewig sinkt dein Auge zu.

Aber wohl dir! – köstlich ist dein Schlummer,
  Ruhig schläft sichs in dem engen Haus;   50
Mit der Freude stirbt hier auch der Kummer,
  Röcheln auch der Menschen Qualen aus.
Über dir mag die Verleumdung geifern,
  Die Verführung ihre Gifte spein,
Über dich der Pharisäer eifern,   55
  Fromme Mordsucht dich der Hölle weihn,
Gauner durch Apostelmasken schielen,
  Und die Bastardtochter der Gerechtigkeit
Wie mit Würfeln so mit Menschen spielen,
  Und so fort bis hin zur Ewigkeit.   60

Über dir mag auch Fortuna gaukeln,
  Blind herum nach ihren Buhlen spähn,
Menschen bald auf schwanken Thronen schaukeln,
  Bald herum in wüsten Pfützen drehn –

Wohl dir, wohl in deiner schmalen Zelle;   65
  Diesem komischtragischen Gewühl,
Dieser ungestümen Glückeswelle,
  Diesem possenhaften Lottospiel,
Diesem faulen fleißigen Gewimmel,
  Dieser arbeitsvollen Ruh,   70
Bruder! – diesem teufelvollen Himmel
  Schloß dein Auge sich auf ewig zu.

Fahr dann wohl, du Trauter unsrer Seele,
  Eingewiegt von unsern Segnungen,
Schlummre ruhig in der Grabeshöhle,   75
  Schlummre ruhig bis auf Wiedersehn!
Bis auf diesen leichenvollen Hügeln
  Die allmächtige Posaune klingt
Und nach aufgerißnen Todesriegeln
  Gottes Sturmwind diese Leichen in Bewegung
                            schwingt –   80
Bis, befruchtet von Jehovas Hauche,
  Gräber kreißen – auf sein mächtig Dräun
In zerschmelzender Planeten Rauche
  Ihren Raub die Grüfte wiederkäun –

Nicht in Welten, wie die Weisen träumen,   85
  Auch nicht in des Pöbels Paradies,
Nicht in Himmeln, wie die Dichter reimen, –
  Aber wir ereilen dich gewiß.
Daß es wahr sei, was den Pilger freute?
  Daß noch jenseits ein Gedanke sei?   90
Daß die Tugend übers Grab geleite?
  Daß es mehr denn eitle Phantasei? – –
Schon enthüllt sind dir die Rätsel alle!
  Wahrheit schlirft dein hochentzückter Geist,
Wahrheit, die in tausendfachem Strahle   95
  Von des großen Vaters Kelche fleußt. –

Zieht dann hin, ihr schwarzen stummen Träger!
  Tischt auch den dem großen Würger auf!
Höret auf, geheulergoßne Kläger!
  Türmet auf ihm Staub auf Staub zuhauf!   100
Wo der Mensch, der Gottes Ratschluß prüfte?
  Wo das Aug, den Abgrund durchzuschaun?
Heilig! Heilig! Heilig! bist du, Gott der Grüfte,
  Wir verehren dich mit Graun!
Erde mag zurück in Erde stäuben,   105
  Fliegt der Geist doch aus dem morschen Haus!
Seine Asche mag der Sturmwind treiben,
  Seine Liebe dauert ewig aus!

Die Freundschaft

(aus den Briefen Julius' an Raphael, einem noch ungedruckten Roman)

Freund! genügsam ist der Wesenlenker –
Schämen sich kleinmeisterische Denker,
  Die so ängstlich nach Gesetzen spähn –
Geisterreich und Körperweltgewühle
Wälzet *eines* Rades Schwung zum Ziele,   5
  Hier sah es mein Newton gehn.

Sphären lehrt es, Sklaven *eines* Zaumes,
Um das Herz des großen Weltenraumes
  Labyrinthenbahnen ziehn –
Geister in umarmenden Systemen   10
Nach der *großen Geistersonne* strömen,
  Wie zum Meere Bäche fliehn.

Wars nicht dies allmächtige Getriebe,
Das zum ewgen Jubelbund der Liebe
  Unsre Herzen aneinander zwang?   15

Raphael, an *deinem* Arm – o Wonne!
Wag auch ich zur großen Geistersonne
   Freudigmutig den Vollendungsgang.

Glücklich! glücklich! *Dich* hab ich gefunden,
Hab aus Millionen *dich* umwunden,
   Und aus Millionen *mein* bist *du* –   20
Laß das Chaos diese Welt umrütteln,
Durcheinander die Atomen schütteln:
   Ewig fliehn sich unsre Herzen zu.

Muß ich nicht aus *deinen* Flammenaugen   25
Meiner Wollust Widerstrahlen saugen?
   Nur in *dir* bestaun ich mich –
Schöner malt sich mir die schöne Erde,
Heller spiegelt in des Freunds Gebärde,
   Reizender der Himmel sich.

Schwermut wirft die bange Tränenlasten,
Süßer von des Leidens Sturm zu rasten,
   In der Liebe Busen ab; –
Sucht nicht selbst das folternde Entzücken
In des Freunds beredten Strahlenblicken   35
   Ungeduldig ein wollüstges Grab? –

Stünd im All der Schöpfung ich alleine,
Seelen träumt' ich in der Felsensteine
   Und umarmend küßt' ich sie –
Meine Klagen stöhnt' ich in die Lüfte,   40
Freute mich, antworteten die Klüfte,
   Tor genug! der süßen Sympathie.

Tote Gruppen sind wir – wenn wir hassen,
Götter – wenn wir liebend uns umfassen!
   Lechzen nach dem süßen Fesselzwang –   45
Aufwärts durch die tausendfache Stufen
Zahlenloser Geister, die nicht schufen,
   Waltet göttlich dieser Drang.

Arm in Arme, höher stets und höher,
Vom Mongolen bis zum griechschen Seher,   50
    Der sich an den letzten Seraph reiht,
Wallen wir, einmütgen Ringeltanzes,
Bis sich dort im Meer des ewgen Glanzes
    Sterbend untertauchen Maß und Zeit. –

Freundlos war der große Weltenmeister,   55
Fühlte *Mangel* – darum schuf er Geister,
    Selge Spiegel *seiner* Seligkeit! –
Fand das höchste Wesen schon kein gleiches,
Aus dem Kelch des ganzen Seelenreiches
    Schäumt *ihm* – Die Unendlichkeit.   60

Melancholie

An Laura

Laura – Sonnenaufgangsglut
Brennt in deinen goldnen Blicken,
    In den Wangen springt purpurisch Blut,
    Deiner Tränen Perlenflut
Nennt noch Mutter das Entzücken –   5
    Dem der schöne Tropfe taut,
    Der darin Vergöttrung schaut,
Ach, dem Jüngling, der belohnet wimmert,
Sonnen sind ihm aufgedämmert!

    Deine Seele, gleich der Spiegelwelle   10
    Silberklar und sonnenhelle,
Maiet noch den trüben Herbst um dich;
Wüsten, öd und schauerlich,
    Lichten sich in deiner Strahlenquelle,
Düstrer Zukunft Nebelferne   15
Goldet sich in deinem Sterne;

Lächelst du der Reizeharmonie?
Und ich weine über sie. –

Untergrub denn nicht der Erde Veste
    Lange schon das Reich der Nacht?   20
Unsre stolz auftürmenden Paläste,
    Unsrer Städte majestätsche Pracht
Ruhen all auf modernden Gebeinen,
    Deine Nelken saugen süßen Duft
Aus Verwesung, deine Quellen weinen   25
    Aus dem Becken einer – Menschengruft.

Blick empor – die schwimmenden Planeten,
Laß dir, Laura, seine Welten reden!
    Unter ihrem Zirkel flohn
    Tausend bunte Lenze schon,   30
Türmten tausend Throne sich,
Heulten tausend Schlachten fürchterlich.
    In den eisernen Fluren
    Suche ihre Spuren.
Früher, später reif zum Grab,   35
Laufen, ach, die Räder ab
    An Planetenuhren.

    Blinze dreimal – und der Sonnen Pracht
    Löscht im Meer der Totennacht!
Frage mich, von wannen *deine* Strahlen lodern!   40
    Prahlst du mit des Auges Glut?
    Mit der Wangen frischem Purpurblut,
Abgeborgt von mürben Modern?
    Wuchernd fürs geliehne Rot,
    Wuchernd, Mädchen, wird der Tod   45
Schwere Zinsen fodern!

Rede, Mädchen, nicht dem Starken Hohn!
    Eine schönre Wangenröte

Ist doch nur des Todes schönrer Thron;
  Hinter dieser blumigten Tapete   50
Spannt den Bogen der Verderber schon –
Glaub es – glaub es, Laura, deinem Schwärmer:
  Nur der Tod ists, dem dein schmachtend Auge
                                winkt,

  Jeder deiner Strahlenblicke trinkt
Deines Lebens karges Lämpchen ärmer;   55
  Meine Pulse, prahlest du,
Hüpfen noch so jugendlich von dannen –
Ach! die Kreaturen des Tyrannen
  Schlagen tückisch der Verwesung zu.

  Auseinander bläst der Tod geschwind   60
  Dieses Lächeln, wie der Wind
Regenbogenfarbigtes Geschäume,
  Ewig fruchtlos suchst du seine Spur,
  Aus dem Frühling der Natur,
Aus dem Leben, wie aus seinem Keime,   65
  Wächst der ewge Würger nur.

Weh! entblättert seh ich deine Rosen liegen,
  Bleich erstorben deinen süßen Mund,
  Deiner Wangen wallendes Rund
Werden rauhe Winterstürme pflügen,   70
  Düstrer Jahre Nebelschein
Wird der Jugend Silberquelle trüben,
Dann wird Laura – Laura nicht mehr lieben,
  Laura nicht mehr liebenswürdig sein.

Mädchen – stark wie Eiche stehet noch dein Dichter,   75
  Stumpf an meiner Jugend Felsenkraft
  Niederfällt des Totenspeeres Schaft,
Meine Blicke brennend wie die Lichter
  Seines Himmels – feuriger mein Geist,
Denn die Lichter seines ewgen Himmels,   80

Der im Meere eignen Weltgewimmels
  Felsen türmt und niederreißt.
Kühn durchs Weltall steuern die Gedanken,
Fürchten nichts – als seine Schranken.

Glühst du, Laura? Schwillt die stolze Brust?   85
Lern es, Mädchen, dieser Trank der Lust,
  Dieser Kelch, woraus mir Gottheit düftet –
  Laura – ist vergiftet!
Unglückselig! unglückselig, die es wagen,
Götterfunken aus dem *Staub* zu schlagen.   90
  Ach die kühnste Harmonie
  Wirft das Saitenspiel zu Trümmer,
  Und der lohe Ätherstrahl *Genie*
Nährt sich nur vom Lebenslampenschimmer –
  Wegbetrogen von des Lebens Thron   95
Front ihm jeder Wächter schon!
Ach! schon schwören sich, mißbraucht zu frechen
                                        Flammen,
Meine Geister wider mich zusammen!
Laß – ich fühls – laß, Laura, noch zween kurze
  Lenze fliegen – und dies Moderhaus   100
Wiegt sich schwankend über mir zum Sturze,
  Und in eignem Strahle lösch ich aus. – –

  Weinst du, Laura? – Träne, sei verneinet,
Die des Alters Straflos mir erweinet,
  Weg! Versiege, Träne, Sünderin!   105
Laura will, daß meine Kraft entweiche,
Daß ich zitternd unter dieser Sonne schleiche,
  Die des Jünglings Adlergang gesehn? –
Daß des Busens lichte Himmelsflamme
Mit erfrornem Herzen ich verdamme,   110
Daß die Augen meines Geists verblinden,
Daß ich fluche meinen schönsten Sünden?
  Nein! versiege, Träne, Sünderin! –

Brich die Blume in der schönsten Schöne,
Lösch, o Jüngling mit der Trauermiene!   115
    Meine Fackel weinend aus,
Wie der Vorhang an der Trauerbühne
Niederrauschet bei der schönsten Szene,
    Fliehn die Schatten – und noch schweigend horcht das
                                                    Haus. –

Rousseau

Monument von unsrer Zeiten Schande!
Ewge Schandschrift deiner Mutterlande!
    Rousseaus Grab, gegrüßet seist du mir.
Fried und Ruh den Trümmern deines Lebens!
Fried und Ruhe suchtest du vergebens,   5
    Fried und Ruhe fandst du hier.

Kaum ein Grabmal ist ihm überblieben,
Den von Reich zu Reich der Neid getrieben,
    Frommer Eifer umgestrudelt hat.
Ha! Um den einst Ströme Bluts zerfließen,   10
Wems gebühr, ihn prahlend Sohn zu grüßen,
    Fand im Leben keine Vaterstadt.

Und wer sind sie, die den Weisen richten?
Geisterschlacken, die zur Tiefe flüchten
    Vor dem Silberblicke des Genies;   15
Abgesplittert von dem Schöpfungswerke
Gegen Riesen Rousseau kindsche Zwerge,
    Denen nie Prometheus Feuer blies.

Brücken vom Instinkte zum Gedanken,
Angeflicket an der Menschheit Schranken,   20
    Wo schon gröbre Lüfte wehn.
In die Kluft der Wesen eingekeilet,

Wo der Affe aus dem Tierreich geilet,
  Und der Menschheit anhebt abzustehn.

Neu und einzig – eine Irresonne   25
Standest du am Ufer der Garonne
  Meteorisch für Franzosenhirn.
Schwelgerei und Hunger brüten Seuchen,
Tollheit rast mavortisch in den Reichen –
  Wer ist schuld – das arme Irrgestirn.   30

Deine Parze – hat sie gar geträumet?
Hat in Fieberhitze sie gereimet
  Die dich an der Seine Strand gesäugt?
Ha! schon seh ich unsre Enkel staunen,
Wann beim Klang belebender Posaunen   35
  Aus Franzosengräbern – Rousseau steigt!

Wann wird doch die alte Wunde narben?
Einst wars finster – und die Weisen starben,
  Nun ists lichter – und der Weise stirbt.
Sokrates ging unter durch Sophisten,   40
Rousseau leidet – Rousseau fällt durch Christen,
  Rousseau – der aus Christen Menschen wirbt.

Ha! mit Jubel, die sich feurig gießen,
Sei, Religion, von mir gepriesen,
  Himmelstochter, sei geküßt!   45
Welten werden durch dich zu Geschwistern,
Und der Liebe sanfte Odem flistern
  Um die Fluren, die dein Flug begrüßt.

Aber wehe – Basiliskenpfeile
Deine Blicke – Krokodilgeheule   50
  Deiner Stimme sanfte Melodien,
Menschen bluten unter deinem Zahne,
Wenn verderbengeifernde Imane
  Zur Erennys dich verziehn.

Ja! im acht und zehnten Jubeljahre,   55
Seit das Weib den Himmelsohn gebare
   (Chroniker, vergeßt es nie),
Hier erfanden schlauere Perille
Ein noch musikalischer Gebrülle,
   Als dort aus dem ehrnen Ochsen schrie.   60

Mag es, Rousseau! mag das Ungeheuer
Vorurteil ein türmendes Gemäuer
   Gegen kühne Reformanten stehn,
Nacht und Dummheit boshaft sich versammeln,
Deinem Licht die Pfade zu verrammeln,   65
Himmelstürmend dir entgegen gehn.

Mag die hundertrachtige Hyäne
Eigennutz die. gelben Zackenzähne
   Hungerglühend in die Armut haun,
Erzumpanzert gegen Waisenträne,   70
Turmumrammelt gegen Jammertöne,
   Goldne Schlösser auf Ruinen baun.

Geh, du Opfer dieses Trillingsdrachen,
Hüpfe freudig in den Todesnachen,
   Großer Dulder! frank und frei.   75
Geh, erzähl dort in der Geister Kreise,
Diesen Traum vom Krieg der Frösch und Mäuse,
   Dieses Lebens Jahrmarktsdudelei.

Nicht für diese Welt warst du – zu bieder
Warst du ihr, zu hoch – vielleicht zu nieder –
   Rousseau, doch du warst ein Christ.   80
Mag der Wahnwitz diese Erde gängeln!
Geh du heim zu deinen Brüdern Engeln,
   Denen du entlaufen bist.

Freigeisterei der Leidenschaft

Als Laura vermählt war im Jahr 1782

Nein – länger, länger werd ich diesen Kampf nicht kämpfen,
  Den Riesenkampf der Pflicht.
Kannst du des Herzens Flammentrieb nicht dämpfen,
  So fodre, Tugend, dieses Opfer nicht.

Geschworen hab ichs, ja, ich habs geschworen,   5
  Mich selbst zu bändigen.
Hier ist dein Kranz. Er sei auf ewig mir verloren,
  Nimm ihn zurück, und laß mich sündigen.

Sieh, Göttin, mich zu deines Thrones Stufen,
  Wo ich noch jüngst, ein frecher Beter, lag,   10
Mein übereilter Eid sei widerrufen,
  Vernichtet sei der schreckliche Vertrag,

Den du im süßen Taumel einer warmen Stunde
  Vom Träumenden erzwangst,
Mit meinem heißen Blut in unerlaubtem Bunde,   15
  Betrügerisch aus meinem Busen rangst.

Wo sind die Feuer, die elektrisch mich durchwallten,
  Und wo der starke, kühne Talisman?
In jenem Wahnwitz will ich meinen Schwur dir halten,
  Worin ich unbesonnen ihn getan.   20

Zerrissen sei, was du und ich bedungen haben,
  Sie liebt mich – deine Krone sei verscherzt.
Glückselig, wer, in Wonnetrunkenheit begraben,
  So leicht wie ich den tiefen Fall verschmerzt.

Sie sieht den Wurm an meiner Jugend Blume nagen   25
  Und meinen Lenz entflohn,

Bewundert still mein heldenmütiges Entsagen,
  Und großmutsvoll beschließt sie meinen Lohn.

Mißtraue, schöne Seele, dieser Engelgüte!
  Dein Mitleid waffnet zum Verbrecher mich,   30
Gibts in des Lebens unermeßlichem Gebiete,
  Gibts einen andern schönern Lohn – als dich?

Als das Verbrechen, das ich ewig fliehen wollte?
  Entsetzliches Geschick!
Der einzge Lohn, der meine Tugend krönen sollte,   35
  Ist meiner Tugend letzter Augenblick.

Des wollustreichen Giftes voll – vergessen,
  Vor wem ich zittern muß,
Wag ich es stumm, an meinen Busen sie zu pressen,
  Auf ihren Lippen brennt mein erster Kuß.   40

Wie schnell auf sein allmächtig glühendes Berühren,
  Wie schnell, o Laura, floß
Das dünne Siegel ab von übereilten Schwüren,
  Sprang deiner Pflicht Tyrannenkette los,

Jetzt schlug sie laut, die heißerflehte Schäferstunde,   45
  Jetzt dämmerte mein Glück –
Erhörung zitterte auf deinem brennenden Munde,
  Erhörung schwamm in deinem feuchten Blick,

Mir schauerte vor dem so nahen Glücke,
  Und ich errang es nicht.   50
Vor deiner Gottheit taumelte mein Mut zurücke,
  Ich Rasender! und ich errang es nicht!

Woher dies Zittern, dies unnennbare Entsetzen,
  Wenn mich dein liebevoller Arm umschlang? –
Weil dich ein Eid, den auch schon Wallungen verletzen,   55
  In fremde Fesseln zwang?

Weil ein Gebrauch, den die Gesetze heilig prägen,
   Des Zufalls schwere Missetat geweiht?
Nein – unerschrocken trotz ich einem Bund entgegen,
   Den die errötende Natur bereut.   60

O zittre nicht – du hast als Sünderin geschworen,
   Ein Meineid ist der Reue fromme Pflicht.
Das Herz war *mein*, das du vor dem Altar verloren,
   Mit Menschenfreuden spielt der Himmel nicht.

Zum Kampf auf die Vernichtung sei er vorgeladen,   65
   An den der feierliche Spruch dich band.
Die Vorsicht kann den überflüßgen Geist entraten,
   Für den sie keine Seligkeit erfand.

Getrennt von dir – warum bin ich geworden?
   Weil *du* bist, schuf mich Gott!   70
Er widerrufe, oder lerne Geister morden,
   Und flüchte mich vor seines Wurmes Spott.

Sanftmütigster der fühlenden Dämonen,
   Zum Wüterich verzerrt dich Menschenwahn?
Dich sollten meine Qualen nur belohnen,   75
   Und diesen *Nero* beten Geister an?

Dich hätten sie als den Allguten mir gepriesen,
   Als Vater mir gemalt?
So wucherst du mit deinen Paradiesen?
   Mit meinen Tränen machst du dich bezahlt?   80

Besticht man dich mit blutendem Entsagen?
   Durch eine Hölle nur
Kannst du zu deinem Himmel eine Brücke schlagen?
   Nur auf der Folter merkt dich die Natur?

O *diesem* Gott laßt unsre Tempel uns verschließen,   85
  Kein Loblied feire ihn,
Und keine Freudenträne soll ihm weiter fließen,
  Er hat auf immer seinen Lohn dahin!

Resignation

Eine Phantasie

Auch ich war in Arkadien geboren,
  Auch mir hat die Natur
An meiner Wiege Freude zugeschworen,
Auch ich war in Arkadien geboren,
  Doch Tränen gab der kurze Lenz mir nur.   5

Des Lebens Mai blüht einmal und nicht wieder,
  Mir hat er abgeblüht.
Der stille Gott – o weinet, meine Brüder –
Der stille Gott taucht meine Fackel nieder,
  Und die Erscheinung flieht.   10

Da steh ich schon auf deiner Schauerbrücke,
  Ehrwürdge Geistermutter – Ewigkeit.
Empfange meinen Vollmachtbrief zum Glücke,
Ich bring ihn unerbrochen dir zurücke,
  Mein Lauf ist aus. Ich weiß von keiner Seligkeit.   15

Vor deinem Thron erheb ich meine Klage,
  Verhüllte Richterin.
Auf jenem Stern ging eine frohe Sage,
Du thronest hier mit des Gerichtes Waage
  Und nennest dich Vergelterin.   20

Hier – spricht man – warten Schrecken auf den Bösen,
  Und Freuden auf den Redlichen.

Des Herzens Krümmen werdest du entblößen,
Der Vorsicht Rätsel werdest du mir lösen
  Und Rechnung halten mit dem Leidenden.   25

Hier öffne sich die Heimat dem Verbannten,
  Hier endige des Dulders Dornenbahn.
Ein Götterkind, das sie mir *Wahrheit* nannten,
Die meisten flohen, wenige nur kannten,
  Hielt meines Lebens raschen Zügel an.   30

»Ich zahle dir in einem andern Leben,
  Gib deine Jugend mir!
Nichts kann ich dir als diese Weisung geben.«
Ich nahm die Weisung auf das andre Leben,
  Und meiner Jugend Freuden gab ich ihr.   35

»Gib mir das Weib, so teuer deinem Herzen,
  Gib deine Laura mir.
Jenseits der Gräber wuchern deine Schmerzen.« –
Ich riß sie blutend aus dem wunden Herzen
  Und weinte laut und gab sie ihr.   40

»Du siehst die Zeit nach jenen Ufern fliegen,
  Die blühende Natur
Bleibt hinter ihr – ein welker Leichnam – liegen.
Wenn Erd und Himmel trümmernd auseinanderfliegen,
  Daran erkenne den erfüllten Schwur.«   45

»Die Schuldverschreibung lautet an die Toten«,
  Hohnlächelte die Welt,
»Die Lügnerin, gedungen von Despoten,
Hat für die Wahrheit Schatten dir geboten,
  Du bist nicht mehr, wenn dieser Schein verfällt.«   50

Frech witzelte das Schlangenheer der Spötter:
  »Vor einem Wahn, den nur Verjährung weiht,

Erzitterst du? Was sollen deine Götter,
Des kranken Weltplans schlau erdachte Retter,
   Die Menschenwitz des Menschen Notdurft leiht?   55

Ein Gaukelspiel, ohnmächtigen Gewürmen
   Vom Mächtigen gegönnt,
Schreckfeuer, angesteckt auf hohen Türmen,
Die Phantasie des Träumers zu bestürmen,
   Wo des Gesetzes Fackel dunkel brennt.   60

Was heißt die Zukunft, die uns Gräber decken?
   Die Ewigkeit, mit der du eitel prangst?
Ehrwürdig nur, weil schlaue Hüllen sie verstecken,
Der Riesenschatten unsrer eignen Schrecken
   Im hohlen Spiegel der Gewissensangst;   65

Ein Lügenbild lebendiger Gestalten,
   Die Mumie der Zeit,
Vom Balsamgeist der Hoffnung in den kalten
Behausungen des Grabes hingehalten,
   Das nennt dein Fieberwahn – Unsterblichkeit?   70

Für Hoffnungen – Verwesung straft sie Lügen –
   Gabst du *gewisse* Güter hin?
Sechstausend Jahre hat der Tod geschwiegen,
Kam je ein Leichnam aus der Gruft gestiegen,
   Der Meldung tat von der Vergelterin?« –   75

Ich sah die Zeit nach deinen Ufern fliegen,
   Die blühende Natur
Blieb hinter ihr, ein welker Leichnam, liegen,
Kein Toter kam aus seiner Gruft gestiegen,
   Und fest vertraut ich auf den Götterschwur.   80

All meine Freuden hab ich dir geschlachtet,
   Jetzt werf ich mich vor deinen Richterthron.

Der Menge Spott hab ich beherzt verachtet,
Nur *deine* Güter hab ich groß geachtet,
  Vergelterin, ich fodre meinen Lohn.   85

»Mit gleicher Liebe lieb ich meine Kinder!«
Rief unsichtbar ein Genius.
»Zwei Blumen«, rief er, »–hört es, Menschenkinder –
Zwei Blumen blühen für den weisen Finder,
  Sie heißen *Hoffnung* und *Genuß*.   90

Wer dieser Blumen *eine* brach, begehre
Die andre Schwester nicht.
Genieße, wer nicht glauben kann. Die Lehre
Ist ewig wie die Welt. Wer glauben kann, entbehre.
  Die Weltgeschichte ist das Weltgericht.   95

Du hast *gehofft*, dein Lohn ist abgetragen,
  Dein *Glaube* war dein zugewognes Glück.
Du konntest deine Weisen fragen,
Was man von der Minute ausgeschlagen,
  Gibt keine Ewigkeit zurück.«   100

Lyrische Gedichte

An die Freude

Freude, schöner Götterfunken,
    Tochter aus Elysium,
Wir betreten feuertrunken
    Himmlische, dein Heiligtum.
Deine Zauber binden wieder,   5
    Was der Mode Schwert geteilt;
Bettler werden Fürstenbrüder,
    Wo dein sanfter Flügel weilt.

Chor

Seid umschlungen, Millionen!
    Diesen Kuß der ganzen Welt!   10
    Brüder – überm Sternenzelt
Muß ein lieber Vater wohnen.

Wem der große Wurf gelungen,
    Eines Freundes Freund zu sein;
Wer ein holdes Weib errungen,   15
    Mische seinen Jubel ein!
Ja – wer auch nur *eine* Seele
    Sein nennt auf dem Erdenrund!
Und wers nie gekonnt, der stehle
    Weinend sich aus diesem Bund!   20

Die Verse 6 und 7 lauten in der Ausgabe der Gedichte (1803): »Was die Mode
streng geteilt, / Alle Menschen werden Brüder,«.

Chor

Was den großen Ring bewohnet,
   Huldige der Sympathie!
   Zu den Sternen leitet sie,
Wo der *Unbekannte* thronet.

Freude trinken alle Wesen   25
   An den Brüsten der Natur,
Alle Guten, alle Bösen
   Folgen ihrer Rosenspur.
Küsse gab sie *uns* und *Reben*,
   Einen Freund, geprüft im Tod.   30
Wollust ward dem Wurm gegeben,
   Und der Cherub steht vor Gott.

Chor

Ihr stürzt nieder, Millionen?
   Ahndest du den Schöpfer, Welt?
   Such ihn überm Sternenzelt,   35
Über Sternen muß er wohnen.

Freude heißt die starke Feder
   In der ewigen Natur.
Freude, Freude treibt die Räder
   In der großen Weltenuhr.   40
Blumen lockt sie aus den Keimen,
   Sonnen aus dem Firmament,
Sphären rollt sie in den Räumen,
   Die des Sehers Rohr nicht kennt.

Chor

Froh, wie seine Sonnen fliegen,   45
   Durch des Himmels prächtgen Plan,
   Laufet, Brüder, eure Bahn,
Freudig wie ein Held zum Siegen.

Aus der Wahrheit Feuerspiegel
   Lächelt *sie* den Forscher an.   50
Zu der Tugend steilem Hügel
   Leitet *sie* des Dulders Bahn.
Auf des Glaubens Sonnenberge
   Sieht man *ihre* Fahnen wehn,
Durch den Riß gesprengter Särge   55
   Sie im Chor der Engel stehn.

Chor

Duldet mutig, Millionen!
   Duldet für die beßre Welt!
   Droben überm Sternenzelt
Wird ein großer Gott belohnen.   60

Göttern kann man nicht vergelten,
   Schön ists, ihnen gleich zu sein.
Gram und Armut soll sich melden,
   Mit den Frohen sich erfreun.
Groll und Rache sei vergessen,   65
   Unserm Todfeind sei verziehn,
Keine Träne soll ihn pressen,
   Keine Reue nage ihn.

Chor

Unser Schuldbuch sei vernichtet!
   Ausgesöhnt die ganze Welt!   70
   Brüder – überm Sternenzelt
Richtet Gott, wie wir gerichtet.

Freude sprudelt in Pokalen,
   In der Traube goldnem Blut
Trinken Sanftmut Kannibalen,   75
   Die Verzweiflung Heldenmut – –

Brüder, fliegt von euren Sitzen,
  Wenn der volle Römer kreist,
Laßt den Schaum zum Himmel sprützen:
  Dieses Glas dem guten Geist.   80

Chor

Den der Sterne Wirbel loben,
  Den des Seraphs Hymne preist,
  Dieses Glas dem guten Geist
Überm Sternenzelt dort oben!

Festen Mut in schwerem Leiden,   85
  Hülfe, wo die Unschuld weint,
Ewigkeit geschwornen Eiden,
  Wahrheit gegen Freund und Feind,
Männerstolz vor Königsthronen –
  Brüder, gält es Gut und Blut, –   90
Dem Verdienste seine Kronen,
  Untergang der Lügenbrut!

Chor

Schließt den heilgen Zirkel dichter,
  Schwört bei diesem goldnen Wein:
  Dem Gelübde treu zu sein,   95
Schwört es bei dem Sternenrichter!

Rettung von Tyrannenketten,
  Großmut auch dem Bösewicht,
Hoffnung auf den Sterbebetten,
  Gnade auf dem Hochgericht!   100
Auch die Toten sollen leben!
  Brüder trinkt und stimmet ein,
Allen Sündern soll vergeben,
  Und die Hölle nicht mehr sein.

Chor

Eine heitre Abschiedsstunde!   105
    Süßen Schlaf im Leichentuch!
    Brüder – einen sanften Spruch
Aus des Totenrichters Munde!

Der Abend

Nach einem Gemälde

Senke, strahlender Gott, die Fluren dürsten
Nach erquickendem Tau, der Mensch verschmachtet,
    Matter ziehen die Rosse,
        Senke den Wagen hinab.

Siehe, wer aus des Meers kristallner Woge   5
Lieblich lächelnd dir winkt! Erkennt dein Herz sie?
    Rascher fliegen die Rosse,
        Tethys, die göttliche, winkt.

Schnell vom Wagen herab in ihre Arme
Springt der Führer, den Zaum ergreift Kupido,   10
    Stille halten die Rosse,
        Trinken die kühlende Flut.

An dem Himmel herauf mit leisen Schritten
Kommt die duftende Nacht; ihr folgt die süße
    Liebe. Ruhet und liebet,   15
        Phöbus, der liebende, ruht.

Reiterlied

Aus »Wallenstein«

Wohlauf, Kameraden, aufs Pferd, aufs Pferd!
  Ins Feld, in die Freiheit gezogen!
Im Felde, da ist der Mann noch was wert,
  Da wird das Herz noch gewogen.
Da tritt kein anderer für ihn ein,   5
Auf sich selber steht er da ganz allein.

Aus der Welt die Freiheit verschwunden ist,
  Man sieht nur Herren und Knechte,
Die Falschheit herrschet, die Hinterlist
  Bei dem feigen Menschengeschlechte.   10
Der dem Tod ins Angesicht schauen kann,
Der Soldat allein ist der freie Mann.

Des Lebens Ängsten, er wirft sie weg,
  Hat nicht mehr zu fürchten, zu sorgen,
Er reitet dem Schicksal entgegen keck,   15
  Trifft's heute nicht, trifft es doch morgen,
Und trifft es morgen, so lasset uns heut
Noch schlürfen die Neige der köstlichen Zeit.

Von dem Himmel fällt ihm sein lustig Los,
  Braucht's nicht mit Müh zu erstreben,   20
Der Fröner, der sucht in der Erde Schoß,
  Da meint er den Schatz zu erheben.
Er gräbt und schaufelt, solang er lebt,
Und gräbt, bis er endlich sein Grab sich gräbt.

Der Reiter und sein geschwindes Roß,   25
  Sie sind gefürchtete Gäste;
Es flimmern die Lampen im Hochzeitschloß,
  Ungeladen kommt er zum Feste.

Er wirbt nicht lange, er zeiget nicht Gold,
Im Sturm erringt er den Minnesold.

Warum weint die Dirn und zergrämet sich schier?
   Laß fahren dahin, laß fahren!
Er hat auf Erden kein bleibend Quartier,
   Kann treue Lieb nicht bewahren.
Das rasche Schicksal, es treibt ihn fort,   35
Seine Ruhe läßt er an keinem Ort.

Drum frisch, Kameraden, den Rappen gezäumt,
   Die Brust im Gefechte gelüftet!
Die Jugend brauset, das Leben schäumt,
   Frisch auf! eh der Geist noch verdüftet.   40
Und setzet ihr nicht das Leben ein,
Nie wird euch das Leben gewonnen sein.

Des Mädchens Klage

Der Eichwald brauset,
Die Wolken ziehn,
Das Mägdlein sitzet
An Ufers Grün,
Es bricht sich die Welle mit Macht, mit Macht,   5
Und sie seufzt hinaus in die finstre Nacht,
Das Auge vom Weinen getrübet.

»Das Herz ist gestorben,
Die Welt ist leer,
Und weiter gibt sie   10
Dem Wunsche nichts mehr.
Du Heilige, rufe dein Kind zurück,
Ich habe genossen das irdische Glück,
Ich habe gelebt und geliebet!«

Es rinnet der Tränen   15
Vergeblicher Lauf,
Die Klage, sie wecket
Die Toten nicht auf,
Doch nenne, was tröstet und heilet die Brust
Nach der süßen Liebe verschwundener Lust,   20
Ich, die himmlische, wills nicht versagen.

»Laß rinnen der Tränen
Vergeblichen Lauf,
Es wecke die Klage
Den Toten nicht auf,   25
Das süßeste Glück für die traurende Brust,
Nach der schönen Liebe verschwundener Lust,
Sind der Liebe Schmerzen und Klagen.«

Die Erwartung

Hör ich das Pförtchen nicht gehen?
Hat nicht der Riegel geklirrt?
    Nein, es war des Windes Wehen,
    Der durch diese Pappeln schwirrt.

O schmücke dich, du grün belaubtes Dach,   5
Du sollst die Anmutstrahlende empfangen,
Ihr Zweige, baut ein schattendes Gemach,
Mit holder Nacht sie heimlich zu umfangen,
Und all ihr Schmeichellüfte, werdet wach
Und scherzt und spielt um ihre Rosenwangen,   10
Wenn seine schöne Bürde, leicht bewegt,
Der zarte Fuß zum Sitz der Liebe trägt.

    Stille, was schlüpft durch die Hecken
    Raschelnd mit eilendem Lauf?

Nein, es scheuchte nur der Schrecken   15
Aus dem Busch den Vogel auf.

O! lösche deine Fackel, Tag! Hervor,
Du geistge Nacht, mit deinem holden Schweigen,
Breit um uns her den purpurroten Flor,
Umspinn uns mit geheimnisvollen Zweigen,   20
Der Liebe Wonne flieht des Lauschers Ohr,
Sie flieht des Strahles unbescheidnen Zeugen!
Nur Hesper, der verschwiegene, allein
Darf still herblickend ihr Vertrauter sein.

   Rief es von ferne nicht leise,   25
   Flüsternden Stimmen gleich?
     Nein, der Schwan ists, der die Kreise
     Ziehet durch den Silberteich.

Mein Ohr umtönt ein Harmonienfluß,
Der Springquell fällt mit angenehmem Rauschen,   30
Die Blume neigt sich bei des Westes Kuß,
Und alle Wesen seh ich Wonne tauschen,
Die Traube winkt, die Pfirsche zum Genuß,
Die üppig schwellend hinter Blättern lauschen,
Die Luft, getaucht in der Gewürze Flut,   35
Trinkt von der heißen Wange mir die Glut.

   Hör ich nicht Tritte erschallen?
   Rauschts nicht den Laubgang daher?
     Nein, die Frucht ist dort gefallen,
     Von der eignen Fülle schwer.   40

Des Tages Flammenauge selber bricht
In süßem Tod und seine Farben blassen,
Kühn öffnen sich im holden Dämmerlicht
Die Kelche schon, die seine Gluten hassen,
Still hebt der Mond sein strahlend Angesicht,   45

Die Welt zerschmilzt in ruhig große Massen,
Der Gürtel ist von jedem Reiz gelöst,
Und alles Schöne zeigt sich mir entblößt.

Seh ich nichts Weißes dort schimmern?
Glänzts nicht wie seidnes Gewand? 50
Nein, es ist der Säule Flimmern
An der dunkeln Taxuswand.

O! sehnend Herz, ergötze dich nicht mehr,
Mit süßen Bildern wesenlos zu spielen,
Der Art, der sie umfassen will, ist leer, 55
Kein Schattenglück kann diesen Busen kühlen;
O! führe mir die Lebende daher,
Laß ihre Hand, die zärtliche, mich fühlen,
Den Schatten nur von ihres Mantels Saum,
Und in das Leben tritt der hohle Traum. 60

Und leis, wie aus himmlischen Höhen
Die Stunde des Glückes erscheint,
So war sie genaht, ungesehen,
Und weckte mit Küssen den Freund.

Sehnsucht

Ach, aus dieses Tales Gründen,
Die der kalte Nebel drückt,
Könnt ich doch den Ausgang finden,
Ach wie fühlt ich mich beglückt!
Dort erblick ich schöne Hügel, 5
Ewig jung und ewig grün!
Hätt ich Schwingen, hätt ich Flügel,
Nach den Hügeln zög ich hin.

Harmonien hör ich klingen,
　　Töne süßer Himmelsruh,   10
Und die leichten Winde bringen
　　Mir der Düfte Balsam zu,
Goldne Früchte seh ich glühen,
　　Winkend zwischen dunkelm Laub,
Und die Blumen, die dort blühen,   15
　　Werden keines Winters Raub.

Ach wie schön muß sichs ergehen
　　Dort im ewgen Sonnenschein,
Und die Luft auf jenen Höhen,
　　O wie labend muß sie sein!   20
Doch mir wehrt des Stromes Toben,
　　Der ergrimmt dazwischen braust,
Seine Wellen sind gehoben,
　　Daß die Seele mir ergraust.

Einen Nachen seh ich schwanken,   25
　　Aber ach! der Fährmann fehlt.
Frisch hinein und ohne Wanken,
　　Seine Segel sind beseelt.
Du mußt glauben, du mußt wagen,
　　Denn die Götter leihn kein Pfand,   30
Nur ein Wunder kann dich tragen
　　In das schöne Wunderland.

Thekla

Eine Geisterstimme

Wo ich sei, und wo mich hingewendet,
Als mein flüchtger Schatte dir entschwebt?
Hab ich nicht beschlossen und geendet,
Hab ich nicht geliebet und gelebt?

Willst du nach den Nachtigallen fragen, 5
Die mit seelenvoller Melodie
Dich entzückten in des Lenzes Tagen?
Nur solang sie liebten, waren sie.

Ob ich den Verlorenen gefunden?
Glaube mir, ich bin mit ihm vereint, 10
Wo sich nicht mehr trennt, was sich verbunden,
Dort, wo keine Träne wird geweint.

Dorten wirst auch du uns wiederfinden,
Wenn dein Lieben unserm Lieben gleicht;
Dort ist auch der Vater, frei von Sünden, 15
Den der blutge Mord nicht mehr erreicht.

Und er fühlt, daß ihn kein Wahn betrogen,
Als er aufwärts zu den Sternen sah;
Denn wie jeder wägt, wird ihm gewogen,
Wer es glaubt, dem ist das Heilge nah. 20

Wort gehalten wird in jenen Räumen
Jedem schönen gläubigen Gefühl;
Wage du, zu irren und zu träumen:
Hoher Sinn liegt oft in kindschem Spiel.

Der Pilgrim

Noch in meines Lebens Lenze
  War ich, und ich wandert aus,
Und der Jugend frohe Tänze
  Ließ ich in des Vaters Haus.

All mein Erbteil, meine Habe 5
  Warf ich fröhlich glaubend hin,

Und am leichten Pilgerstabe
 Zog ich fort mit Kindersinn.

Denn mich trieb ein mächtig Hoffen
 Und ein dunkles Glaubenswort,   10
»Wandle«, riefs, »der Weg ist offen,
 Immer nach dem Aufgang fort.

Bis zu einer goldnen Pforten
 Du gelangst, da gehst du ein,
Denn das Irdische wird dorten   15
 Himmlisch unvergänglich sein.«

Abend wards und wurde Morgen,
 Nimmer, nimmer stand ich still,
Aber immer bliebs verborgen,
 Was ich suche, was ich will.   20

Berge lagen mir im Wege,
 Ströme hemmten meinen Fuß,
Über Schlünde baut ich Stege,
 Brücken durch den wilden Fluß.

Und zu eines Stroms Gestaden   25
 Kam ich, der nach Morgen floß,
Froh vertrauend seinem Faden,
 Werf ich mich in seinen Schoß.

Hin zu einem großen Meere
 Trieb mich seiner Wellen Spiel,   30
Vor mir liegts in weiter Leere,
 Näher bin ich nicht dem Ziel.

Ach, kein Steg will dahin führen,
 Ach, der Himmel über mir
Will die Erde nie berühren,   35
 Und das Dort ist niemals Hier.

Punschlied

Vier Elemente,
Innig gesellt,
Bilden das Leben,
Bauen die Welt.

Preßt der Zitrone   5
Saftigen Stern,
Herb ist des Lebens
Innerster Kern.

Jetzt mit des Zuckers
Linderndem Saft   10
Zähmet die herbe
Brennende Kraft,

Gießet des Wassers
Sprudelnden Schwall,
Wasser umfänget   15
Ruhig das All.

Tropfen des Geistes
Gießet hinein,
Leben dem Leben
Gibt er allein.   20

Eh es verdüftet,
Schöpfet es schnell,
Nur wenn er glühet,
Labet der Quell.

Punschlied

Im Norden zu singen

Auf der Berge freien Höhen,
  In der Mittagsonne Schein,
An des warmen Strahles Kräften
  Zeugt Natur den goldnen Wein.

Und noch niemand hats erkundet,   5
  Wie die große Mutter schafft;
Unergründlich ist das Wirken,
  Unerforschlich ist die Kraft.

Funkelnd wie ein Sohn der Sonne,
  Wie des Lichtes Feuerquell,   10
Springt er perlend aus der Tonne
  Purpurn und kristallenhell.

Und erfreuet alle Sinnen,
  Und in jede bange Brust
Gießt er ein balsamisch Hoffen   15
  Und des Lebens neue Lust.

Aber matt auf unsre Zonen
  Fällt der Sonne schräges Licht,
Nur die Blätter kann sie färben,
  Aber Früchte reift sie nicht.   20

Doch der Norden auch will leben,
  Und was lebt, will sich erfreun;
Darum schaffen wir erfindend
  Ohne Weinstock uns den Wein.

Bleich nur ists, was wir bereiten   25
  Auf dem häuslichen Altar;

Was Natur lebendig bildet,
  Glänzend ists und ewig klar.

Aber freudig aus der Schale
  Schöpfen wir die trübe Flut,   30
Auch die *Kunst* ist Himmelsgabe,
  Borgt sie gleich von irdscher Glut.

Ihrem Wirken freigegeben
  Ist der Kräfte großes Reich;
Neues bildend aus dem Alten,   35
  Stellt sie sich dem Schöpfer gleich.

Selbst das Band der Elemente
  Trennt ihr herrschendes Gebot,
Und sie ahmt mit Herdes Flammen
  Nach den hohen Sonnengott.   40

Fernhin zu den selgen Inseln
  Richtet sie der Schiffe Lauf,
Und des Südens goldne Früchte
  Schüttet sie im Norden auf.

Drum ein Sinnbild und ein Zeichen   45
  Sei uns dieser Feuersaft,
Was der Mensch sich kann erlangen
  Mit dem Willen und der Kraft.

Jägerliedchen

Aus »Wilhelm Tell«

Mit dem Pfeil, dem Bogen
Durch Gebirg und Tal
Kommt der Schütz gezogen
Früh am Morgenstrahl.

Wie im Reich der Lüfte   5
König ist der Weih, –
Durch Gebirg und Klüfte
Herrscht der Schütze frei.

Ihm gehört das Weite,
Was sein Pfeil erreicht,   10
Das ist seine Beute,
Was da kreucht und fleugt.

Balladen

Der Ring des Polykrates

Er stand auf seines Daches Zinnen,
Er schaute mit vergnügten Sinnen
Auf das beherrschte Samos hin.
»Dies alles ist mir untertänig«,
Begann er zu Ägyptens König,   5
»Gestehe, daß ich glücklich bin.«

»Du hast der Götter Gunst erfahren!
Die vormals deinesgleichen waren,
Sie zwingt jetzt deines Zepters Macht.
Doch einer lebt noch, sie zu rächen,   10
Dich kann mein Mund nicht glücklich sprechen,
Solang des Feindes Auge wacht.«

Und eh der König noch geendet,
Da stellt sich, von Milet gesendet,
Ein Bote dem Tyrannen dar: 15
»Laß, Herr! des Opfers Düfte steigen
Und mit des Lorbeers muntern Zweigen
Bekränze dir dein festlich Haar.

Getroffen sank dein Feind vom Speere,
Mich sendet mit der frohen Märe   20
Dein treuer Feldherr Polydor –«
Und nimmt aus einem schwarzen Becken,
Noch blutig, zu der beiden Schrecken,
Ein wohlbekanntes Haupt hervor.

Der König tritt zurück mit Grauen: 25
»Doch warn ich dich, dem Glück zu trauen«,

Versetzt er mit besorgtem Blick.
»Bedenk, auf ungetreuen Wellen,
Wie leicht kann sie der Sturm zerschellen,
Schwimmt deiner Flotte zweifelnd Glück.«   30

Und eh er noch das Wort gesprochen,
Hat ihn der Jubel unterbrochen,
Der von der Reede jauchzend schallt.
Mit fremden Schätzen reich beladen,
Kehrt zu den heimischen Gestaden   35
Der Schiffe mastenreicher Wald.

Der königliche Gast erstaunet:
»Dein Glück ist heute gut gelaunet,
Doch fürchte seinen Unbestand.
Der Kreter waffenkundge Scharen   40
Bedräuen dich mit Kriegsgefahren,
Schon nahe sind sie diesem Strand.«

Und eh ihm noch das Wort entfallen,
Da sieht mans von den Schiffen wallen,
Und tausend Stimmen rufen: »Sieg!   45
Von Feindesnot sind wir befreiet,
Die Kreter hat der Sturm zerstreuet,
Vorbei, geendet ist der Krieg.«

Das hört der Gastfreund mit Entsetzen:
»Fürwahr, ich muß dich glücklich schätzen,   50
Doch«, spricht er, »zittr ich für dein Heil.
Mir grauet vor der Götter Neide,
Des Lebens ungemischte Freude
Ward keinem Irdischen zuteil.

Auch mir ist alles wohlgeraten,   55
Bei allen meinen Herrschertaten
Begleitet mich des Himmels Huld,

Doch hatt ich einen teuren Erben,
Den nahm mir Gott, ich sah ihn sterben,
Dem Glück bezahlt' ich meine Schuld.   60

Drum, willst du dich vor Leid bewahren,
So flehe zu den Unsichtbaren,
Daß sie zum Glück den Schmerz verleihn.
Noch keinen sah ich fröhlich enden,
Auf den mit immer vollen Händen   65
Die Götter ihre Gaben streun.

Und wenns die Götter nicht gewähren,
So acht auf eines Freundes Lehren
Und rufe selbst das Unglück her,
Und was von allen deinen Schätzen   70
Dein Herz am höchsten mag ergötzen,
Das nimm und wirfs in dieses Meer.«

Und jener spricht, von Furcht beweget:
»Von allem, was die Insel heget,
Ist dieser Ring mein höchstes Gut.   75
Ihn will ich den Erinnen weihen,
Ob sie mein Glück mir dann verzeihen.«
Und wirft das Kleinod in die Flut.

Und bei des nächsten Morgens Lichte,
Da tritt mit fröhlichem Gesichte   80
Ein Fischer vor den Fürsten hin:
»Herr, diesen Fisch hab ich gefangen,
Wie keiner noch ins Netz gegangen,
Dir zum Geschenke bring ich ihn.«

Und als der Koch den Fisch zerteilet,   85
Kommt er bestürzt herbeigeeilet
Und ruft mit hocherstauntem Blick:
»Sieh, Herr, den Ring, den du getragen,

Ihn fand ich in des Fisches Magen,
O, ohne Grenzen ist dein Glück!«   90

Hier wendet sich der Gast mit Grausen:
»So kann ich hier nicht ferner hausen,
Mein Freund kannst du nicht weiter sein.
Die Götter wollen dein Verderben,
Fort.eil ich, nicht mit dir zu sterben.«   95
Und sprachs und schiffte schnell sich ein.

Die Kraniche des Ibykus

Zum Kampf der Wagen und Gesänge,
Der auf Korinthus' Landesenge
Der Griechen Stämme froh vereint,
Zog Ibykus, der Götterfreund.
Ihm schenkte des Gesanges Gabe,   5
Der Lieder süßen Mund Apoll,
So wandert' er, an leichtem Stabe,
Aus Rhegium, des Gottes voll.

Schon winkt auf hohem Bergesrücken
Akrokorinth des Wandrers Blicken,   10
Und in Poseidons Fichtenhain
Tritt er mit frommem Schauder ein.
Nichts regt sich um ihn her, nur Schwärme
Von Kranichen begleiten ihn,
Die fernhin nach des Südens Wärme   15
In graulichtem Geschwader ziehn.

»Seid mir gegrüßt, befreundte Scharen!
Die mir zur See Begleiter waren,
Zum guten Zeichen nehm ich euch,
Mein Los, es ist dem euren gleich.   20

Von fernher kommen wir gezogen
Und flehen um ein wirtlich Dach.
Sei uns der Gastliche gewogen,
Der von dem Fremdling wehrt die Schmach!«

Und munter fördert er die Schritte   25
Und sieht sich in des Waldes Mitte,
Da sperren, auf gedrangem Steg,
Zwei Mörder plötzlich seinen Weg.
Zum Kampfe muß er sich bereiten,
Doch bald ermattet sinkt die Hand,   30
Sie hat der Leier zarte Saiten,
Doch nie des Bogens Kraft gespannt.

Er ruft die Menschen an, die Götter,
Sein Flehen dringt zu keinem Retter,
Wie weit er auch die Stimme schickt,   35
Nichts Lebendes wird hier erblickt.
»So muß ich hier verlassen sterben,
Auf fremdem Boden, unbeweint,
Durch böser Buben Hand verderben,
Wo auch kein Rächer mir erscheint!«   40

Und schwer getroffen sinkt er nieder,
Da rauscht der Kraniche Gefieder,
Er hört, schon kann er nicht mehr sehn,
Die nahen Stimmen furchtbar krähn.
»Von euch, ihr Kraniche dort oben!   45
Wenn keine andre Stimme spricht,
Sei meines Mordes Klag erhoben!«
Er ruft es, und sein Auge bricht.

Der nackte Leichnam wird gefunden,
Und bald, obgleich entstellt von Wunden, 50
Erkennt der Gastfreund in Korinth
Die Züge, die ihm teuer sind.

»Und muß ich so dich wiederfinden,
Und hoffte mit der Fichte Kranz
Des Sängers Schläfe zu umwinden,   55
Bestrahlt von seines Ruhmes Glanz!«

Und jammernd hörens alle Gäste,
Versammelt bei Poseidons Feste,
Ganz Griechenland ergreift der Schmerz,
Verloren hat ihn jedes Herz.   60
Und stürmend drängt sich zum Prytanen
Das Volk, es fodert seine Wut,
Zu rächen des Erschlagnen Manen,
Zu sühnen mit des Mörders Blut.

Doch wo die Spur, die aus der Menge,   65
Der Völker flutendem Gedränge,
Gelocket von der Spiele Pracht,
Den schwarzen Täter kenntlich macht?
Sinds Räuber, die ihn feig erschlagen?
Tats neidisch ein verborgner Feind?   70
Nur Helios vermags zu sagen,
Der alles Irdische bescheint.

Er geht vielleicht mit frechem Schritte
Jetzt eben durch der Griechen Mitte,
Und während ihn die Rache sucht,   75
Genießt er seines Frevels Frucht.
Auf ihres eignen Tempels Schwelle
Trotzt er vielleicht den Göttern, mengt
Sich dreist in jene Menschenwelle,
Die dort sich zum Theater drängt.   80

Denn Bank an Bank gedränget sitzen,
Es brechen fast der Bühne Stützen,
Herbeigeströmt von fern und nah,
Der Griechen Völker wartend da,

Dumpfbrausend wie des Meeres Wogen;   85
Von Menschen wimmelnd, wächst der Bau
In weiter stets geschweiftem Bogen
Hinauf bis in des Himmels Blau.

Wer zählt die Völker, nennt die Namen,
Die gastlich hier zusammenkamen?   90
Von Kekrops' Stadt, von Aulis Strand,
Von Phokis, vom Spartanerland,
Von Asiens entlegner Küste,
Von allen Inseln kamen sie
Und horchen von dem Schaugerüste   95
Des *Chores* grauser Melodie,

Der streng und ernst, nach alter Sitte,
Mit langsam abgemeßnem Schritte,
Hervortritt aus dem Hintergrund,
Umwandelnd des Theaters Rund.   100
So schreiten keine irdschen Weiber,
Die zeugete kein sterblich Haus!
Es steigt das Rießenmaß der Leiber
Hoch über menschliches hinaus.

Ein schwarzer Mantel schlägt die Lenden,   105
Sie schwingen in entfleischten Händen
Der Fackel düsterrote Glut,
In ihren Wangen fließt kein Blut.
Und wo die Haare lieblich flattern,
Um Menschenstirnen freundlich wehn,   110
Da sieht man Schlangen hier und Nattern
Die giftgeschwollnen Bäuche blähn.

Und schauerlich gedreht im Kreise
Beginnen sie des Hymnus Weise,
Der durch das Herz zerreißend dringt,   115
Die Bande um den Frevler schlingt.

Besinnungsraubend, herzbetörend
Schallt der Erinnyen Gesang,
Er schallt, des Hörers Mark verzehrend,
Und duldet nicht der Leier Klang: 120

»Wohl dem, der frei von Schuld und Fehle
Bewahrt die kindlich reine Seele!
Ihm dürfen wir nicht rächend nahn,
Er wandelt frei des Lebens Bahn.
Doch wehe, wehe, wer verstohlen 125
Des Mordes schwere Tat vollbracht,
Wir heften uns an seine Sohlen,
Das furchtbare Geschlecht der Nacht!

Und glaubt er fliehend zu entspringen,
Geflügelt sind wir da, die Schlingen 130
Ihm werfend um den flüchtgen Fuß,
Daß er zu Boden fallen muß.
So jagen wir ihn, ohn Ermatten,
Versöhnen kann uns keine Reu,
Ihn fort und fort bis zu den Schatten, 135
Und geben ihn auch dort nicht frei.«

So singend, tanzen sie den Reigen,
Und Stille wie des Todes Schweigen
Liegt überm ganzen Hause schwer,
Als ob die Gottheit nahe wär. 140
Und feierlich, nach alter Sitte
Umwandelnd des Theaters Rund
Mit langsam abgemeßnem Schritte,
Verschwinden sie im Hintergrund.

Und zwischen Trug und Wahrheit schwebet 145
Noch zweifelnd jede Brust und bebet
Und huldiget der furchtbarn Macht,
Die richtend im Verborgnen wacht,

Die unerforschlich, unergründet
Des Schicksals dunkeln Knäuel flicht,   150
Dem tiefen Herzen sich verkündet,
Doch fliehet vor dem Sonnenlicht.

Da hört man auf den höchsten Stufen
Auf einmal eine Stimme rufen:
»Sieh da! Sieh da, Timotheus,   155
Die Kraniche des Ibykus!« –
Und finster plötzlich wird der Himmel,
Und über dem Theater hin
Sieht man in schwärzlichtem Gewimmel
Ein Kranichheer vorüberziehn.   160

»Des Ibykus!« – Der teure Name
Rührt jede Brust mit neuem Grame,
Und, wie im Meere Well auf Well,
So läufts von Mund zu Munde schnell:
»Des Ibykus, den wir beweinen,   165
Den eine Mörderhand erschlug!
Was ists mit dem? Was kann er meinen?
Was ists mit diesem Kranichzug?« –

Und lauter immer wird die Frage,
Und ahnend fliegts mit Blitzesschlage   170
Durch alle Herzen. »Gebet acht!
Das ist der Eumeniden Macht!
Der fromme Dichter wird gerochen,
Der Mörder bietet selbst sich dar!
Ergreift ihn, der das Wort gesprochen,   175
Und ihn, an dens gerichtet war.«

Doch dem war kaum das Wort entfahren,
Möcht ers im Busen gern bewahren;
Umsonst, der schreckenbleiche Mund
Macht schnell die Schuldbewußten kund.   180

Man reißt und schleppt sie vor den Richter,
Die Szene wird zum Tribunal,
Und es gestehn die Bösewichter,
Getroffen von der Rache Strahl.

Der Taucher

»Wer wagt es, Rittersmann oder Knapp,
Zu tauchen in diesen Schlund?
Einen goldnen Becher werf ich hinab,
Verschlungen schon hat ihn der schwarze Mund.
Wer mir den Becher kann wieder zeigen,   5
Er mag ihn behalten, er ist sein eigen.«

Der König spricht es und wirft von der Höh
Der Klippe, die schroff und steil
Hinaushängt in die unendliche See,
Den Becher in der Charybde Geheul.   10
»Wer ist der Beherzte, ich frage wieder,
Zu tauchen in diese Tiefe nieder?«

Und die Ritter, die Knappen um ihn her
Vernehmens und schweigen still,
Sehen hinab in das wilde Meer,   15
Und keiner den Becher gewinnen will.
Und der König zum drittenmal wieder fraget:
»Ist keiner, der sich hinunterwaget?«

Doch alles noch stumm bleibt wie zuvor,
Und ein Edelknecht, sanft und keck,   20
Tritt aus der Knappen zagendem Chor,
Und den Gürtel wirft er, den Mantel weg,
Und alle die Männer umher und Frauen
Auf den herrlichen Jüngling verwundert schauen.

Und wie er tritt an des Felsen Hang   25
Und blickt in den Schlund hinab,
Die Wasser, die sie hinunterschlang,
Die Charybde jetzt brüllend wiedergab,
Und wie mit des fernen Donners Getose
Entstürzen sie schäumend dem finstern Schoße.   30

Und es wallet und siedet und brauset und zischt,
Wie wenn Wasser mit Feuer sich mengt,
Bis zum Himmel spritzet der dampfende Gischt,
Und Flut auf Flut sich ohn Ende drängt,
Und will sich nimmer erschöpfen und leeren,   35
Als wollte das Meer noch ein Meer gebären.

Doch endlich, da legt sich die wilde Gewalt,
Und schwarz aus dem weißen Schaum
Klafft hinunter ein gähnender Spalt,
Grundlos, als gings in den Höllenraum,   40
Und reißend sieht man die brandenden Wogen
Hinab in den strudelnden Trichter gezogen.

Jetzt schnell, eh die Brandung wiederkehrt,
Der Jüngling sich Gott befiehlt,
Und – ein Schrei des Entsetzens wird rings gehört,   45
Und schon hat ihn der Wirbel hinweggespült,
Und geheimnisvoll über dem kühnen Schwimmer
Schließt sich der Rachen, er zeigt sich nimmer.

Und stille wirds über dem Wasserschlund,
In der Tiefe nur brauset es hohl,   50
Und bebend hört man von Mund zu Mund:
»Hochherziger Jüngling, fahre wohl!«
Und hohler und hohler hört mans heulen,
Und es harrt noch mit bangem, mit schrecklichem Weilen.

Und wärfst du die Krone selber hinein   55
Und sprächst: Wer mir bringet die Kron,

Er soll sie tragen und König sein,
Mich gelüstete nicht nach dem teuren Lohn.
Was die heulende Tiefe da unten verhehle,
Das erzählt keine lebende glückliche Seele.   60

Wohl manches Fahrzeug, vom Strudel gefaßt,
Schoß gäh in die Tiefe hinab,
Doch zerschmettert nur rangen sich Kiel und Mast
Hervor aus dem alles verschlingenden Grab. –
Und heller und heller wie Sturmes Sausen   65
Hört mans näher und immer näher brausen.

Und es wallet und siedet und brauset und zischt,
Wie wenn Wasser mit Feuer sich mengt,
Bis zum Himmel spritzet der dampfende Gischt,
Und Well auf Well sich ohn Ende drängt,   70
Und wie mit des fernen Donners Getose
Entstürzt es brüllend dem finstern Schoße.

Und sieh! aus dem finster flutenden Schoß
Da hebet sichs schwanenweiß,
Und ein Arm und ein glänzender Nacken wird bloß,   75
Und es rudert mit Kraft und mit emsigem Fleiß,
Und er ists, und hoch in seiner Linken
Schwingt er den Becher mit freudigem Winken.

Und atmete lang und atmete tief
Und begrüßte das himmlische Licht.   80
Mit Frohlocken es einer dem andern rief:
»Er lebt! Er ist da! Es behielt ihn nicht.
Aus dem Grab, aus der strudelnden Wasserhöhle
Hat der Brave gerettet die lebende Seele.«

Und er kommt, es umringt ihn die jubelnde Schar,   85
Zu des Königs Füßen er sinkt,
Den Becher reicht er ihm kniend dar,
Und der König der lieblichen Tochter winkt,

Die füllt ihn mit funkelndem Wein bis zum Rande,
Und der Jüngling sich also zum König wandte: 90

»Lang lebe der König! Es freue sich,
Wer da atmet im rosigten Licht!
Da unten aber ists fürchterlich,
Und der Mensch versuche die Götter nicht
Und begehre nimmer und nimmer zu schauen, 95
Was sie gnädig bedecken mit Nacht und Grauen.

Es riß mich hinunter blitzesschnell,
Da stürzt' mir aus felsigtem Schacht
Wildflutend entgegen ein reißender Quell,
Mich packte des Doppelstroms wütende Macht, 100
Und wie einen Kreisel mit schwindelndem Drehen
Trieb michs um, ich konnte nicht widerstehen.

Da zeigte mir Gott, zu dem ich rief
In der höchsten schrecklichen Not,
Aus der Tiefe ragend ein Felsenriff, 105
Das erfaßt' ich behend und entrann dem Tod,
Und da hing auch der Becher an spitzen Korallen,
Sonst wär er ins Bodenlose gefallen.

Denn unter mir lags noch, bergetief,
In purpurner Finsternis da, 110
Und obs hier dem Ohre gleich ewig schlief,
Das Auge mit Schaudern hinuntersah,
Wie's von Salamandern und Molchen und Drachen
Sich regt' in dem furchtbaren Höllenrachen.

Schwarz wimmelten da, in grausem Gemisch, 115
Zu scheußlichen Klumpen geballt,
Der stachlige Roche, der Klippenfisch,
Des Hammers greuliche Ungestalt,
Und dräuend wies mir die grimmigen Zähne
Der entsetzliche Hai, des Meeres Hyäne. 120

Und da hing ich und wars mir mit Grausen bewußt,
Von der menschlichen Hülfe so weit,
Unter Larven die einzige fühlende Brust,
Allein in der gräßlichen Einsamkeit,
Tief unter dem Schall der menschlichen Rede   125
Bei den Ungeheuern der traurigen Öde.

Und schaudernd dacht ichs, da krochs heran,
Regte hundert Gelenke zugleich,
Will schnappen nach mir; in des Schreckens Wahn
Laß ich los der Koralle umklammerten Zweig,   130
Gleich faßt mich der Strudel mit rasendem Toben,
Doch es war mir zum Heil, er riß mich nach oben.«

Der König darob sich verwundert schier
Und spricht: »Der Becher ist dein,
Und diesen Ring noch bestimm ich dir,   135
Geschmückt mit dem köstlichsten Edelgestein,
Versuchst dus noch einmal und bringst mir Kunde,
Was du sahst auf des Meeres tiefunterstem Grunde.«

Das hörte die Tochter mit weichem Gefühl,
Und mit schmeichelndem Munde sie fleht: 140
»Laßt, Vater, genug sein das grausame Spiel,
Er hat Euch bestanden, was keiner besteht,
Und könnt Ihr des Herzens Gelüsten nicht zähmen,
So mögen die Ritter den Knappen beschämen.«

Drauf der König greift nach dem Becher schnell,   145
In den Strudel ihn schleudert hinein:
»Und schaffst du den Becher mir wieder zur Stell,
So sollst du der trefflichste Ritter mir sein
Und sollst sie als Ehgemahl heut noch umarmen,
Die jetzt für dich bittet mit zartem Erbarmen.«   150

Da ergreiftst ihm die Seele mit Himmelsgewalt,
Und es blitzt aus den Augen ihm kühn,

Und er siehet erröten die schöne Gestalt
Und sieht sie erbleichen und sinken hin,
Da treibts ihn, den köstlichen Preis zu erwerben,   155
Und stürzt hinunter auf Leben und Sterben.

Wohl hört man die Brandung, wohl kehrt sie zurück,
Sie verkündigt der donnernde Schall,
Da bückt sichs hinunter mit liebendem Blick,
Es kommen, es kommen die Wasser all,   160
Sie rauschen herauf, sie rauschen nieder,
Den Jüngling bringt keines wieder.

Der Handschuh

Vor seinem Löwengarten,
Das Kampfspiel zu erwarten,
Saß König Franz,
Und um ihn die Großen der Krone,
Und rings auf hohem Balkone   5
Die Damen in schönem Kranz.

Und wie er winkt mit dem Finger,
Auf tut sich der weite Zwinger,
Und hinein mit bedächtigem Schritt
Ein Löwe tritt,   10
Und sieht sich stumm
Rings um,
Mit langem Gähnen,
Und schüttelt die Mähnen,
Und streckt die Glieder,   15
Und legt sich nieder.

Und der König winkt wieder,
Da öffnet sich behend
Ein zweites Tor,

Daraus rennt   20
Mit wildem Sprunge
Ein Tiger hervor.
Wie der den Löwen erschaut,
Brüllt er laut,
Schlägt mit dem Schweif   25
Einen furchtbaren Reif,
Und recket die Zunge,
Und im Kreise scheu
Umgeht er den Leu
Grimmig schnurrend;   30
Drauf streckt er sich murrend
Zur Seite nieder.

Und der König winkt wieder,
Da speit das doppelt geöffnete Haus
Zwei Leoparden auf einmal aus,   35
Die stürzen mit mutiger Kampfbegier
Auf das Tigertier,
Das packt sie mit seinen grimmigen Tatzen,
Und der Leu mit Gebrüll
Richtet sich auf, da wirds still,   40
Und herum im Kreis,
Von Mordsucht heiß,
Lagern sich die greulichen Katzen.

Da fällt von des Altans Rand
Ein Handschuh von schöner Hand   45
Zwischen den Tiger und den Leun
Mitten hinein.

Und zu Ritter Delorges spottenderweis
Wendet sich Fräulein Kunigund:
»Herr Ritter, ist Eure Lieb so heiß,   50
Wie Ihr mirs schwört zu jeder Stund,
Ei, so hebt mir den Handschuh auf.«

Und der Ritter in schnellem Lauf
Steigt hinab in den furchtbarn Zwinger
Mit festem Schritte,   55
Und aus der Ungeheuer Mitte
Nimmt er den Handschuh mit keckem Finger.

Und mit Erstaunen und mit Grauen
Sehens die Ritter und Edelfrauen,
Und gelassen bringt er den Handschuh zurück.   60
Da schallt ihm sein Lob aus jedem Munde,
Aber mit zärtlichem Liebesblick –
Er verheißt ihm sein nahes Glück –
Empfängt ihn Fräulein Kunigunde.
Und er wirft ihr den Handschuh ins Gesicht: 65
»Den Dank, Dame, begehr ich nicht«,
Und verläßt sie zur selben Stunde.

Die Bürgschaft

Zu Dionys, dem Tyrannen, schlich
Damon, den Dolch im Gewande;
Ihn schlugen die Häscher in Bande.
»Was wolltest du mit dem Dolche, sprich!«
Entgegnet ihm finster der Wüterich.   5
»Die Stadt vom Tyrannen befreien!«
»Das sollst du am Kreuze bereuen.«

»Ich bin«, spricht jener, »zu sterben bereit
Und bitte nicht um mein Leben,
Doch willst du Gnade mir geben,   10
Ich flehe dich um drei Tage Zeit,
Bis ich die Schwester dem Gatten gefreit,
Ich lasse den Freund dir als Bürgen,
Ihn magst du, entrinn ich, erwürgen.«

Da lächelt der König mit arger List   15
Und spricht nach kurzem Bedenken:
»Drei Tage will ich dir schenken.
Doch wisse! Wenn sie verstrichen, die Frist,
Eh du zurück mir gegeben bist,
So muß er statt deiner erblassen,   20
Doch dir ist die Strafe erlassen.«

Und er kommt zum Freunde: »Der König gebeut,
Daß ich am Kreuz mit dem Leben
Bezahle das frevelnde Streben,
Doch will er mir gönnen drei Tage Zeit,   25
Bis ich die Schwester dem Gatten gefreit,
So bleib du dem König zum Pfande,
Bis ich komme, zu lösen die Bande.«

Und schweigend umarmt ihn der treue Freund
Und liefert sich aus dem Tyrannen,   30
Der andere ziehet von dannen.
Und ehe das dritte Morgenrot scheint,
Hat er schnell mit dem Gatten die Schwester vereint,
Eilt heim mit sorgender Seele,
Damit er die Frist nicht verfehle.   35

Da gießt unendlicher Regen herab,
Von den Bergen stürzen die Quellen,
Und die Bäche, die Ströme schwellen.
Und er kommt ans Ufer mit wanderndem Stab,
Da reißt die Brücke der Strudel hinab,   40
Und donnernd sprengen die Wogen
Des Gewölbes krachenden Bogen.

Und trostlos irrt er an Ufers Rand,
Wie weit er auch spähet und blicket
Und die Stimme, die rufende, schicket,   45
Da stößet kein Nachen vom sichern Strand,

Der ihn setze an das gewünschte Land,
Kein Schiffer lenket die Fähre,
Und der wilde Strom wird zum Meere.

Da sinkt er ans Ufer und weint und fleht,   50
Die Hände zum Zeus erhoben:
»O hemme des Stromes Toben!
Es eilen die Stunden, im Mittag steht
Die Sonne, und wenn sie niedergeht
Und ich kann die Stadt nicht erreichen,   55
So muß der Freund mir erbleichen.«

Doch wachsend erneut sich des Stromes Wut,
Und Welle auf Welle zerrinnet,
Und Stunde an Stunde entrinnet.
Da treibt ihn die Angst, da faßt er sich Mut   60
Und wirft sich hinein in die brausende Flut
Und teilt mit gewaltigen Armen
Den Strom, und ein Gott hat Erbarmen.

Und gewinnt das Ufer und eilet fort
Und danket dem rettenden Gotte,   65
Da stürzet die raubende Rotte
Hervor aus des Waldes nächtlichem Ort,
Den Pfad ihm sperrend, und schnaubet Mord
Und hemmet des Wanderers Eile
Mit drohend geschwungener Keule.   70

»Was wollt ihr?« ruft er, für Schrecken bleich,
»Ich habe nichts als mein Leben,
Das muß ich dem Könige geben!«
Und entreißt die Keule dem nächsten gleich:
»Um des Freundes willen erbarmet euch!«   75
Und drei mit gewaltigen Streichen
Erlegt er, die andern entweichen.

Und die Sonne versendet glühenden Brand,
Und von der unendlichen Mühe
Ermattet sinken die Kniee.   80
»O hast du mich gnädig aus Räubershand,
Aus dem Strom mich gerettet ans heilige Land,
Und soll hier verschmachtend verderben,
Und der Freund mir, der liebende, sterben!«

Und horch! da sprudelt es silberhell,   85
Ganz nahe, wie rieselndes Rauschen,
Und stille hält er, zu lauschen,
Und sieh, aus dem Felsen, geschwätzig, schnell,
Springt murmelnd hervor ein lebendiger Quell,
Und freudig bückt er sich nieder   90
Und erfrischet die brennenden Glieder.

Und die Sonne blickt durch der Zweige Grün
Und malt auf den glänzenden Matten
Der Bäume gigantische Schatten;
Und zwei Wanderer sieht er die Straße ziehn,   95
Will eilenden Laufes vorüberfliehn,
Da hört er die Worte sie sagen:
»Jetzt wird er ans Kreuz geschlagen.«

Und die Angst beflügelt den eilenden Fuß,
Ihn jagen der Sorge Qualen,   100
Da schimmern in Abendrots Strahlen
Von ferne die Zinnen von Syrakus,
Und entgegen kommt ihm Philostratus,
Des Hauses redlicher Hüter,
Der erkennet entsetzt den Gebieter: 105

»Zurück! du rettest den Freund nicht mehr,
So rette das eigene Leben!
Den Tod erleidet er eben.
Von Stunde zu Stunde gewartet' er
Mit hoffender Seele der Wiederkehr,   110

Ihm konnte den mutigen Glauben
Der Hohn des Tyrannen nicht rauben.«

»Und ist es zu spät, und kann ich ihm nicht
Ein Retter willkommen erscheinen,
So soll mich der Tod ihm vereinen.   115
Des rühme der blutge Tyrann sich nicht,
Daß der Freund dem Freunde gebrochen die Pflicht,
Er schlachte der Opfer zweie
Und glaube an Liebe und Treue.«

Und die Sonne geht unter, da steht er am Tor   120
Und sieht das Kreuz schon erhöhet,
Das die Menge gaffend umstehet,
An dem Seile schon zieht man den Freund empor,
Da zertrennt er gewaltig den dichten Chor:
»Mich, Henker!« ruft er, »erwürget!   125
Da bin ich, für den er gebürget!«

Und Erstaunen ergreifet das Volk umher,
In den Armen liegen sich beide
Und weinen für Schmerzen und Freude.
Da sieht man kein Auge tränenleer,   130
Und zum Könige bringt man die Wundermär,
Der fühlt ein menschliches Rühren,
Läßt schnell vor den Thron sie führen.

Und blicket sie lange verwundert an.
Drauf spricht er: »Es ist euch gelungen,   135
Ihr habt das Herz mir bezwungen,
Und die Treue, sie ist doch kein leerer Wahn,
So nehmet auch mich zum Genossen an,
Ich sei, gewährt mir die Bitte,
In eurem Bunde der Dritte.«   140

Der Kampf mit dem Drachen

Was rennt das Volk, was wälzt sich dort
Die langen Gassen brausend fort?
Stürzt Rhodus unter Feuers Flammen?
Es rottet sich im Sturm zusammen,
Und einen Ritter, hoch zu Roß,   5
Gewahr ich aus dem Menschentroß,
Und hinter ihm, welch Abenteuer!
Bringt man geschleppt ein Ungeheuer,
Ein Drache scheint es von Gestalt,
Mit weitem Krokodilesrachen,   10
Und alles blickt verwundert bald
Den Ritter an und bald den Drachen.

Und tausend Stimmen werden laut:
»Das ist der Lindwurm, kommt und schaut!
Der Hirt und Herden uns verschlungen,   15
Das ist der Held, der ihn bezwungen!
Viel andre zogen vor ihm aus,
Zu wagen den gewaltgen Strauß,
Doch keinen sah man wiederkehren,
Den kühnen Ritter soll man ehren!«   20
Und nach dem Kloster geht der Zug,
Wo Sankt Johanns des Täufers Orden,
Die Ritter des Spitals, im Flug
Zu Rate sind versammelt worden.

Und vor den edeln Meister tritt   25
Der Jüngling mit bescheidnem Schritt,
Nachdrängt das Volk, mit wildem Rufen,
Erfüllend des Geländes Stufen.
Und jener nimmt das Wort und spricht:
»Ich hab erfüllt die Ritterpflicht,   30
Der Drache, der das Land verödet,
Er liegt von meiner Hand getötet,

Frei ist dem Wanderer der Weg,
Der Hirte treibe ins Gefilde,
Froh walle auf dem Felsensteg   35
Der Pilger zu dem Gnadenbilde.«

Doch strenge blickt der Fürst ihn an
Und spricht: »Du hast als Held getan,
Der Mut ists, der den Ritter ehret,
Du hast den kühnen Geist bewähret.   40
Doch sprich! Was ist die erste Pflicht
Des Ritters, der für Christum ficht,
Sich schmücket mit des Kreuzes Zeichen?«
Und alle ringsherum erbleichen.
Doch er, mit edlem Anstand, spricht,   45
Indem er sich errötend neiget:
»Gehorsam ist die erste Pflicht,
Die ihn des Schmuckes würdig zeiget.«

»Und diese Pflicht, mein Sohn«, versetzt
Der Meister, »hast du frech verletzt,   50
Den Kampf, den das Gesetz versaget,
Hast du mit frevlem Mut gewaget!« –
»Herr, richte, wenn du alles weißt«,
Spricht jener mit gesetztem Geist,
»Denn des Gesetzes Sinn und Willen   55
Vermeint ich treulich zu erfüllen,
Nicht unbedachtsam zog ich hin,
Das Ungeheuer zu bekriegen,
Durch List und kluggewandten Sinn
Versucht ichs, in dem Kampf zu siegen.   60

Fünf unsers Ordens waren schon,
Die Zierden der Religion,
Des kühnen Mutes Opfer worden,
Da wehrtest du den Kampf dem Orden.
Doch an dem Herzen nagte mir   65
Der Unmut und die Streitbegier,

Ja selbst im Traum der stillen Nächte
Fand ich mich keuchend im Gefechte,
Und wenn der Morgen dämmernd kam
Und Kunde gab von neuen Plagen,   70
Da faßte mich ein wilder Gram,
Und ich beschloß, es frisch zu wagen.

Und zu mir selber sprach ich dann:
Was schmückt den Jüngling, ehrt den Mann,
Was leisteten die tapfern Helden,   75
Von denen uns die Lieder melden?
Die zu der Götter Glanz und Ruhm
Erhub das blinde Heidentum?
Sie reinigten von Ungeheuern
Die Welt in kühnen Abenteuern,   80
Begegneten im Kampf dem Leun
Und rangen mit dem Minotauren,
Die armen Oper zu befrein,
Und ließen sich das Blut nicht dauren.

Ist nur der Sarazen es wert,   85
Daß ihn bekämpft des Christen Schwert?
Bekriegt er nur die falschen Götter?
Gesandt ist er der Welt zum Retter,
Von jeder Not und jedem Harm
Befreien muß sein starker Arm,   90
Doch seinen Mut muß Weisheit leiten,
Und List muß mit der Stärke streiten.
So sprach ich oft und zog allein,
Des Raubtiers Fährte zu erkunden,
Da flößte mir der Geist es ein,   95
Froh rief ich aus: Ich habs gefunden!

Und trat zu dir und sprach dies Wort:
›Mich zieht es nach der Heimat fort.‹
Du, Herr, willfahrtest meinen Bitten,
Und glücklich war das Meer durchschnitten.   100

Kaum stieg ich aus am heimschen Strand,
Gleich ließ ich durch des Künstlers Hand,
Getreu den wohlbemerkten Zügen,
Ein Drachenbild zusammenfügen.
Auf kurzen Füßen wird die Last   105
Des langen Leibes aufgetürmet,
Ein schuppig Panzerhemd umfaßt
Den Rücken, den es furchtbar schirmet.

Lang strecket sich der Hals hervor,
Und gräßlich wie ein Höllentor,   110
Als schnapp' es gierig nach der Beute,
Eröffnet sich des Rachens Weite,
Und aus dem schwarzen Schlunde dräun
Der Zähne stacheligte Reihn,
Die Zunge gleicht des Schwertes Spitze,   115
Die kleinen Augen sprühen Blitze,
In einer Schlange endigt sich
Des Rückens ungeheure Länge,
Rollt um sich selber fürchterlich,
Daß es um Mann und Roß sich schlänge.   120

Und alles bild ich nach genau
Und kleid es in ein scheußlich Grau,
Halb Wurm erschiens, halb Molch und Drache,
Gezeuget in der giftgen Lache.
Und als das Bild vollendet war,   125
Erwähl ich mir ein Doggenpaar,
Gewaltig, schnell, von flinken Läufen,
Gewohnt, den wilden Ur zu greifen.
Die hetz ich auf den Lindwurm an,
Erhitze sie zu wildem Grimme,   130
Zu fassen ihn mit scharfem Zahn,
Und lenke sie mit meiner Stimme.

Und wo des Bauches weiches Vlies
Den scharfen Bissen Blöße ließ,

Da reiz ich sie, den Wurm zu packen,   135
Die spitzen Zähne einzuhacken.
Ich selbst, bewaffnet mit Geschoß,
Besteige mein arabisch Roß,
Von adeliger Zucht entstammet,
Und als ich seinen Zorn entflammet,   140
Rasch auf den Drachen spreng ichs los
Und stachl es mit den scharfen Sporen
Und werfe zielend mein Geschoß,
Als wollt ich die Gestalt durchbohren.

Ob auch das Roß sich grauend bäumt   145
Und knirscht und in den Zügel schäumt,
Und meine Doggen ängstlich stöhnen,
Nicht rast ich, bis sie sich gewöhnen.
So üb ichs aus mit Emsigkeit,
Bis dreimal sich der Mond erneut,   150
Und als sie jedes recht begriffen,
Führ ich sie her auf schnellen Schiffen.
Der dritte Morgen ist es nun,
Daß mirs gelungen, hier zu landen,
Den Gliedern gönnt ich kaum zu ruhn,   155
Bis ich das große Werk bestanden.

Denn heiß erregte mir das Herz
Des Landes frisch erneuter Schmerz,
Zerrissen fand man jüngst die Hirten,
Die nach dem Sumpfe sich verirrten,   160
Und ich beschließe rasch die Tat,
Nur von dem Herzen nehm ich Rat.
Flugs unterricht ich meine Knappen,
Besteige den versuchten Rappen,
Und von dem edeln Doggenpaar   165
Begleitet, auf geheimen Wegen,
Wo meiner Tat kein Zeuge war,
Reit ich dem Feinde frisch entgegen.

Das Kirchlein kennst du, Herr, das hoch
Auf eines Felsenberges Joch,   170
Der weit die Insel überschauet,
Des Meisters kühner Geist erbauet.
Verächtlich scheint es, arm und klein,
Doch ein Mirakel schließt es ein,
Die Mutter mit dem Jesusknaben,   175
Den die drei Könige begaben.
Auf dreimal dreißig Stufen steigt
Der Pilgrim nach der steilen Höhe,
Doch hat er schwindelnd sie erreicht,
Erquickt ihn seines Heilands Nähe.   180

Tief in den Fels, auf dem es hängt,
Ist eine Grotte eingesprengt,
Vom Tau des nahen Moors befeuchtet,
Wohin des Himmels Strahl nicht leuchtet,
Hier hausete der Wurm und lag,   185
Den Raub erspähend, Nacht und Tag.
So hielt er wie der Höllendrache
Am Fuß des Gotteshauses Wache,
Und kam der Pilgrim hergewallt
Und lenkte in die Unglücksstraße,   190
Hervorbrach aus dem Hinterhalt
Der Feind und trug ihn fort zum Fraße.

Den Felsen stieg ich jetzt hinan,
Eh ich den schweren Strauß begann,
Hin kniet ich vor dem Christuskinde   195
Und reinigte mein Herz von Sünde,
Drauf gürt ich mir im Heiligtum
Den blanken Schmuck der Waffen um,
Bewehre mit dem Spieß die Rechte,
Und nieder steig ich zum Gefechte.   200
Zurücke bleibt der Knappen Troß,
Ich gebe scheidend die Befehle

Und schwinge mich behend aufs Roß,
Und Gott empfehl ich meine Seele.

Kaum seh ich mich im ebnen Plan,   205
Flugs schlagen meine Doggen an,
Und bang beginnt das Roß zu keuchen
Und bäumet sich und will nicht weichen,
Denn nahe liegt, zum Knäul geballt,
Des Feindes scheußliche Gestalt   210
Und sonnet sich auf warmem Grunde.
Auf jagen ihn die flinken Hunde,
Doch wenden sie sich pfeilgeschwind,
Als es den Rachen gähnend teilet
Und von sich haucht den giftgen Wind   215
Und winselnd wie der Schakal heulet.

Doch schnell erfrisch ich ihren Mut,
Sie fassen ihren Feind mit Wut,
Indem ich nach des Tieres Lende
Aus starker Faust den Speer versende,   220
Doch machtlos wie ein dünner Stab
Prallt er vom Schuppenpanzer ab,
Und eh ich meinen Wurf erneuet,
Da bäumet sich mein Roß und scheuet
An seinem Basiliskenblick   225
Und seines Atems giftgem Wehen,
Und mit Entsetzen springts zurück,
Und jetzo wars um mich geschehen –

Da schwing ich mich behend vom Roß,
Schnell ist des Schwertes Schneide bloß,   230
Doch alle Streiche sind verloren,
Den Felsenharnisch zu durchbohren,
Und wütend mit des Schweifes Kraft
Hat es zur Erde mich gerafft,
Schon seh ich seinen Rachen gähnen,   235
Es haut nach mir mit grimmen Zähnen,

Als meine Hunde wutentbrannt
An seinen Bauch mit grimmgen Bissen
Sich warfen, daß es heulend stand,
Von ungeheurem Schmerz zerrissen.   240

Und eh es ihren Bissen sich
Entwindet, rasch erheb ich mich,
Erspähe mir des Feindes Blöße
Und stoße tief ihm ins Gekröse
Nachbohrend bis ans Heft den Stahl,   245
Schwarzquellend springt des Blutes Strahl,
Hin sinkt es und begräbt im Falle
Mich mit des Leibes Riesenballe,
Daß schnell die Sinne mir vergehn.
Und als ich neugestärkt erwache,   250
Seh ich die Knappen um mich stehn,
Und tot im Blute liegt der Drache.« –

Des Beifalls lang gehemmte Lust
Befreit jetzt aller Hörer Brust,
Sowie der Ritter dies gesprochen,   255
Und zehnfach am Gewölb gebrochen
Wälzt der vermischten Stimmen Schall
Sich brausend fort im Widerhall,
Laut fodern selbst des Ordens Söhne,
Daß man die Heldenstirne kröne,   260
Und dankbar im Triumphgepräng
Will ihn das Volk dem Volke zeigen,
Da faltet seine Stirne streng
Der Meister und gebietet Schweigen.

Und spricht: »Den Drachen, der dies Land   265
Verheert, schlugst du mit tapfrer Hand,
Ein Gott bist du dem Volke worden,
Ein Feind kommst du zurück dem Orden,
Und einen schlimmern Wurm gebar
Dein Herz, als dieser Drache war.   270

Die Schlange, die das Herz vergiftet,
Die Zwietracht und Verderben stiftet,
Das ist der widerspenstge Geist
Der gegen Zucht sich frech empöret,
Der Ordnung heilig Band zerreißt,   275
Denn der ists, der die Welt zerstöret.

Mut zeiget auch der Mameluck,
Gehorsam ist des Christen Schmuck;
Denn wo der Herr in seiner Größe
Gewandelt hat in Knechtes Blöße,   280
Da stifteten, auf heilgem Grund,
Die Väter dieses Ordens Bund,
Der Pflichten schwerste zu erfüllen:
Zu bändigen den eignen Willen!
Dich hat der eitle Ruhm bewegt,   285
Drum wende dich aus meinen Blicken,
Denn wer des Herren Joch nicht trägt,
Darf sich mit seinem Kreuz nicht schmücken.«

Da bricht die Menge tobend aus,
Gewaltger Sturm bewegt das Haus,   290
Um Gnade flehen alle Brüder,
Doch schweigend blickt der Jüngling nieder,
Still legt er von sich das Gewand
Und küßt des Meisters strenge Hand
Und geht. Der folgt ihm mit dem Blicke,   295
Dann ruft er liebend ihn zurücke
Und spricht: »Umarme mich, mein Sohn!
Dir ist der härtre Kampf gelungen.
Nimm dieses Kreuz: es ist der Lohn
Der Demut, die sich selbst bezwungen.«   300

Der Graf von Habsburg

Zu Aachen in seiner Kaiserpracht,
  Im altertümlichen Saale,
Saß König Rudolfs heilige Macht
  Beim festlichen Krönungsmahle.
Die Speisen trug der Pfalzgraf des Rheins,   5
Es schenkte der Böhme des perlenden Weins,
  Und alle die Wähler, die sieben,
Wie der Sterne Chor um die Sonne sich stellt,
Umstanden geschäftig den Herrscher der Welt,
  Die Würde des Amtes zu üben.   10

Und rings erfüllte den hohen Balkon
  Das Volk in freudgem Gedränge,
Laut mischte sich in der Posaunen Ton
  Das jauchzende Rufen der Menge.
Denn geendigt nach langem verderblichen Streit   15
War die kaiserlose, die schreckliche Zeit,
  Und ein Richter war wieder auf Erden.
Nicht blind mehr waltet der eiserne Speer,
Nicht fürchtet der Schwache, der Friedliche mehr,
  Des Mächtigen Beute zu werden.   20

Und der Kaiser ergreift den goldnen Pokal
  Und spricht mit zufriedenen Blicken:
»Wohl glänzet das Fest, wohl pranget das Mahl,
  Mein königlich Herz zu entzücken;
Doch den Sänger vermiß ich, den Bringer der Lust,   25
Der mit süßem Klang mir bewege die Brust
  Und mit göttlich erhabenen Lehren.
So hab ichs gehalten von Jugend an,
Und was ich als Ritter gepflegt und getan,
  Nicht will ichs als Kaiser entbehren.«   30

Und sieh! in der Fürsten umgebenden Kreis
  Trat der Sänger im langen Talare,

Ihm glänzte die Locke silberweiß,
  Gebleicht von der Fülle der Jahre.
»Süßer Wohllaut schläft in der Saiten Gold,   35
Der Sänger singt von der Minne Sold,
  Er preiset das Höchste, das Beste,
Was das Herz sich wünscht, was der Sinn begehrt,
Doch sage, was ist des Kaisers wert
  An seinem herrlichsten Feste?«   40

»Nicht gebieten werd ich dem Sänger«, spricht
  Der Herrscher mit lächelndem Munde,
»Er steht in des größeren Herren Pflicht,
  Er gehorcht der gebietenden Stunde:
Wie in den Lüften der Sturmwind saust,   45
Man weiß nicht, von wannen er kommt und braust,
  Wie der Quell aus verborgenen Tiefen,
So des Sängers Lied aus dem Innern schallt
Und wecket der dunkeln Gefühle Gewalt,
  Die im Herzen wunderbar schliefen.«   50

Und der Sänger rasch in die Saiten fällt
  Und beginnt sie mächtig zu schlagen:
»Aufs Weidwerk hinaus ritt ein edler Held,
  Den flüchtigen Gemsbock zu jagen.
Ihm folgte der Knapp mit dem Jägergeschoß,   55
Und als er auf seinem stattlichen Roß
  In eine Au kommt geritten,
Ein Glöcklein hört er erklingen fern,
Ein Priester wars mit dem Leib des Herrn,
  Voran kam der Mesner geschritten.   60

Und der Graf zur Erde sich neiget hin,
  Das Haupt mit Demut entblößet,
Zu verehren mit glaubigem Christensinn,
  Was alle Menschen erlöset.
Ein Bächlein aber rauschte durchs Feld,   65

Von des Gießbachs reißenden Fluten geschwellt,
  Da hemmte der Wanderer Tritte,
Und beiseit legt jener das Sakrament,
Von den Füßen zieht er die Schuhe behend,
  Damit er das Bächlein durchschritte.   70

›Was schaffst du?‹ redet der Graf ihn an,
  Der ihn verwundert betrachtet.
›Herr, ich walle zu einem sterbenden Mann,
  Der nach der Himmelskost schmachtet.
Und da ich mich nahe des Baches Steg,   75
Da hat ihn der strömende Gießbach hinweg
  Im Strudel der Wellen gerissen.
Drum daß dem Lechzenden werde sein Heil,
So will ich das Wässerlein jetzt in Eil
  Durchwaten mit nackenden Füßen.‹   80

Da setzt ihn der Graf auf sein ritterlich Pferd
  Und reicht ihm die prächtigen Zäume,
Daß er labe den Kranken, der sein begehrt,
  Und die heilige Pflicht nicht versäume.
Und er selber auf seines Knappen Tier   85
Vergnüget noch weiter des Jagens Begier,
  Der andre die Reise vollführet,
Und am nächsten Morgen, mit dankendem Blick,
Da bringt er dem Grafen sein Roß zurück,
  Bescheiden am Zügel geführet.   90

›Nicht wolle das Gott‹, rief mit Demutsinn
  Der Graf, ›daß zum Streiten und Jagen
Das Roß ich beschritte fürderhin,
  Das meinen Schöpfer getragen!
Und magst dus nicht haben zu eignem Gewinst,   95
So bleib es gewidmet dem göttlichen Dienst,
  Denn ich hab es *dem* ja gegeben,
Von dem ich Ehre und irdisches Gut

Zu Lehen trage und Leib und Blut
  Und Seele und Atem und Leben.‹   100

›So mög Euch Gott, der allmächtige Hort,
  Der das Flehen der Schwachen erhöret,
Zu Ehren Euch bringen hier und dort,
  So wie Ihr jetzt ihn geehret.
Ihr seid ein mächtiger Graf, bekannt   105
Durch ritterlich Walten im Schweizerland,
  Euch blühn sechs liebliche Töchter.
So mögen sie‹, rief er begeistert aus,
›Sechs Kronen Euch bringen in Euer Haus
  Und glänzen die spätsten Geschlechter!‹«   110

Und mit sinnendem Haupt saß der Kaiser da,
  Als dächt er vergangener Zeiten,
Jetzt, da er dem Sänger ins Auge sah,
  Da ergreift ihn der Worte Bedeuten.
Die Züge des Priesters erkennt er schnell   115
Und verbirgt der Tränen stürzenden Quell
  In des Mantels purpurnen Falten.
Und alles blickte den Kaiser an
Und erkannte den Grafen, der das getan,
  Und verehrte das göttliche Walten.   120

Anmerkung. Tschudi, der uns diese Anekdote überliefert hat, erzählt
auch, daß der Priester, dem dieses mit dem Grafen von Habsburg
begegnet, nachher Kaplan bei dem Kurfürsten von Mainz geworden und
nicht wenig dazu beigetragen habe, bei der nächsten Kaiserwahl, die auf
das große Interregnum erfolgte, die Gedanken des Kurfürsten auf den
Grafen von Habsburg zu richten. – Für die, welche die Geschichte jener
Zeit kennen, bemerke ich noch, daß ich recht gut weiß, daß Böhmen sein
Erzamt bei Rudolfs Kaiserkrönung nicht ausübte.

Das Lied von der Glocke

Vivos voco
Mortuos plango
Fulgura frango

Fest gemauert in der Erden
Steht die Form, aus Lehm gebrannt.
Heute muß die Glocke werden,
Frisch, Gesellen, seid zur Hand.
   Von der Stirne heiß   5
   Rinnen muß der Schweiß,
Soll das Werk den Meister loben,
Doch der Segen kommt von oben.

Zum Werke, das wir ernst bereiten,
Geziemt sich wohl ein ernstes Wort;   10
Wenn gute Reden sie begleiten,
Dann fließt die Arbeit munter fort.
So laßt uns jetzt mit Fleiß betrachten,
Was durch die schwache Kraft entspringt,
Den schlechten Mann muß man verachten,   15
Der nie bedacht, was er vollbringt.
Das ists ja, was den Menschen zieret,
Und dazu ward ihm der Verstand,
Daß er im innern Herzen spüret,
Was er erschafft mit seiner Hand.   20

Nehmet Holz vom Fichtenstamme,
Doch recht trocken laßt es sein,
Daß die eingepreßte Flamme
Schlage zu dem Schwalch hinein.
   Kocht des Kupfers Brei,   25
   Schnell das Zinn herbei,
Daß die zähe Glockenspeise
Fließe nach der rechten Weise.

Was in des Dammes tiefer Grube
Die Hand mit Feuers Hülfe baut, 30
Hoch auf des Turmes Glockenstube
Da wird es von uns zeugen laut.
Noch dauern wirds in späten Tagen
Und rühren vieler Menschen Ohr
Und wird mit dem Betrübten klagen 35
Und stimmen zu der Andacht Chor.
Was unten tief dem Erdensohne
Das wechselnde Verhängnis bringt,
Das schlägt an die metallne Krone,
Die es erbaulich weiterklingt. 40

    Weiße Blasen seh ich springen,
    Wohl! die Massen sind im Fluß.
    Laßts mit Aschensalz durchdringen,
    Das befördert schnell den Guß.
      Auch von Schaume rein 45
      Muß die Mischung sein,
    Daß vom reinlichen Metalle
    Rein und voll die Stimme schalle.

Denn mit der Freude Feierklange
Begrüßt sie das geliebte Kind 50
Auf seines Lebens erstem Gange,
Den es in Schlafes Arm beginnt;
Ihm ruhen noch im Zeitenschoße
Die schwarzen und die heitern Lose,
Der Mutterliebe zarte Sorgen 55
Bewachen seinen goldnen Morgen. –
Die Jahre fliehen pfeilgeschwind.
Vom Mädchen reißt sich stolz der Knabe,
Er stürmt ins Leben wild hinaus,
Durchmißt die Welt am Wanderstabe. 60
Fremd kehrt er heim ins Vaterhaus,
Und herrlich, in der Jugend Prangen,

Wie ein Gebild aus Himmelshöhn,
Mit züchtigen, verschämten Wangen
Sieht er die Jungfrau vor sich stehn.   65
Da faßt ein namenloses Sehnen
Des Jünglings Herz, er irrt allein,
Aus seinen Augen brechen Tränen,
Er flieht der Brüder wilden Reihn.
Errötend folgt er ihren Spuren   70
Und ist von ihrem Gruß beglückt,
Das Schönste sucht er auf den Fluren,
Womit er seine Liebe schmückt.
O! zarte Sehnsucht, süßes Hoffen,
Der ersten Liebe goldne Zeit,   75
Das Auge sieht den Himmel offen,
Es schwelgt das Herz in Seligkeit.
O! daß sie ewig grünen bliebe,
Die schöne Zeit der jungen Liebe!

    Wie sich schon die Pfeifen bräunen!   80
Dieses Stäbchen tauch ich ein,
Sehn wirs überglast erscheinen,
Wirds zum Gusse zeitig sein.
    Jetzt, Gesellen, frisch!
    Prüft mir das Gemisch,   85
Ob das Spröde mit dem Weichen
Sich vereint zum guten Zeichen.

Denn wo das Strenge mit dem Zarten,
Wo Starkes sich und Mildes paarten,
Da gibt es einen guten Klang.   90
Drum prüfe, wer sich ewig bindet,
Ob sich das Herz zum Herzen findet!
Der Wahn ist kurz, die Reu ist lang.
Lieblich in der Bräute Locken
Spielt der jungfräuliche Kranz,   95
Wenn die hellen Kirchenglocken

Laden zu des Festes Glanz.
Ach! des Lebens schönste Feier
Endigt auch den Lebensmai,
Mit dem Gürtel, mit dem Schleier   100
Reißt der schöne Wahn entzwei.
Die Leidenschaft flieht!
Die Liebe muß bleiben,
Die Blume verblüht,
Die Frucht muß treiben.   105
Der Mann muß hinaus
Ins feindliche Leben,
Muß wirken und streben
Und pflanzen und schaffen,
Erlisten, erraffen,   110
Muß wetten und wagen,
Das Glück zu erjagen.
Da strömet herbei die unendliche Gabe,
Es füllt sich der Speicher mit köstlicher Habe,
Die Räume wachsen, es dehnt sich das Haus.   115
Und drinnen waltet
Die züchtige Hausfrau,
Die Mutter der Kinder,
Und herrschet weise
Im häuslichen Kreise,   120
Und lehret die Mädchen
Und wehret den Knaben,
Und reget ohn Ende
Die fleißigen Hände,
Und mehrt den Gewinn   125
Mit ordnendem Sinn.
Und füllet mit Schätzen die duftenden Laden,
Und dreht um die schnurrende Spindel den Faden,
Und sammelt im reinlich geglätteten Schrein
Die schimmernde Wolle, den schneeigten Lein,   130
Und füget zum Guten den Glanz und den Schimmer,
Und ruhet nimmer.

Und der Vater mit frohem Blick
Von des Hauses weitschauendem Giebel
Überzählet sein blühend Glück, 135
Siehet der Pfosten ragende Bäume
Und der Scheunen gefüllte Räume
Und die Speicher, vom Segen gebogen,
Und des Kornes bewegte Wogen,
Rühmt sich mit stolzem Mund: 140
Fest, wie der Erde Grund,
Gegen des Unglücks Macht
Steht mir des Hauses Pracht!
Doch mit des Geschickes Mächten
Ist kein ewger Bund zu flechten, 145
Und das Unglück schreitet schnell.

    Wohl! Nun kann der Guß beginnen,
    Schön gezacket ist der Bruch.
    Doch, bevor wirs lassen rinnen,
    Betet einen frommen Spruch! 150
      Stoßt den Zapfen aus!
      Gott bewahr das Haus.
    Rauchend in des Henkels Bogen
    Schießts mit feuerbraunen Wogen.

Wohltätig ist des Feuers Macht, 155
Wenn sie der Mensch bezähmt, bewacht,
Und was er bildet, was er schafft,
Das dankt er dieser Himmelskraft,
Doch furchtbar wird die Himmelskraft,
Wenn sie der Fessel sich entrafft, 160
Einhertritt auf der eignen Spur
Die freie Tochter der Natur.
Wehe, wenn sie losgelassen
Wachsend ohne Widerstand
Durch die volkbelebten Gassen 165
Wälzt den ungeheuren Brand!

Denn die Elemente hassen
Das Gebild der Menschenhand.
Aus der Wolke
Quillt der Segen,   170
Strömt der Regen,
Aus der Wolke, ohne Wahl,
Zuckt der Strahl!
Hört ihrs wimmern hoch vom Turm?
Das ist Sturm!   175
Rot wie Blut
Ist der Himmel,
Das ist nicht des Tages Glut!
Welch Getümmel
Straßen auf!   180
Dampf wallt auf!
Flackernd steigt die Feuersäule,
Durch der Straße lange Zeile
Wächst es fort mit Windeseile,
Kochend wie aus Ofens Rachen   185
Glühn die Lüfte, Balken krachen,
Pfosten stürzen, Fenster klirren,
Kinder jammern, Mütter irren,
Tiere wimmern
Unter Trümmern,   190
Alles rennet, rettet, flüchtet,
Taghell ist die Nacht gelichtet,
Durch der Hände lange Kette
Um die Wette
Fliegt der Eimer, hoch im Bogen   195
Sprützen Quellen, Wasserwogen.
Heulend kommt der Sturm geflogen,
Der die Flamme brausend sucht.
Prasselnd in die dürre Frucht
Fällt sie, in des Speichers Räume,   200
In der Sparren dürre Bäume,
Und als wollte sie im Wehen

Mit sich fort der Erde Wucht
Reißen, in gewaltger Flucht,
Wächst sie in des Himmels Höhen   205
Rießengroß!
Hoffnungslos
Weicht der Mensch der Götterstärke,
Müßig sieht er seine Werke
Und bewundernd untergehen.   210

Leergebrannt
Ist die Stätte,
Wilder Stürme rauhes Bette,
In den öden Fensterhöhlen
Wohnt das Grauen,   215
Und des Himmels Wolken schauen
Hoch hinein.

Einen Blick
Nach dem Grabe
Seiner Habe   220
Sendet noch der Mensch zurück –
Greift fröhlich dann zum Wanderstabe,
Was Feuers Wut ihm auch geraubt,
Ein süßer Trost ist ihm geblieben,
Er zählt die Häupter seiner Lieben,   225
Und sieh! ihm fehlt kein teures Haupt.

   In die Erd ists aufgenommen,
   Glücklich ist die Form gefüllt,
   Wirds auch schön zutage kommen,
   Daß es Fleiß und Kunst vergilt?   230
     Wenn der Guß mißlang?
     Wenn die Form zersprang?
   Ach! vielleicht, indem wir hoffen,
   Hat uns Unheil schon getroffen.

Dem dunkeln Schoß der heilgen Erde   235
Vertrauen wir der Hände Tat,
Vertraut der Sämann seine Saat
Und hofft, daß sie entkeimen werde
Zum Segen, nach des Himmels Rat.
Noch köstlicheren Samen bergen   240
Wir traurend in der Erde Schoß
Und hoffen, daß er aus den Särgen
Erblühen soll zu schönerm Los.

Von dem Dome,
Schwer und bang,   245
Tönt die Glocke
Grabgesang.
Ernst begleiten ihre Trauerschläge
Einen Wandrer auf dem letzten Wege.

Ach! die Gattin ists, die teure,   250
Ach! es ist die treue Mutter,
Die der schwarze Fürst der Schatten
Wegführt aus dem Arm des Gatten,
Aus der zarten Kinder Schar,
Die sie blühend ihm gebar,   255
Die sie an der treuen Brust
Wachsen sah mit Mutterlust –
Ach! des Hauses zarte Bande
Sind gelöst auf immerdar,
Denn sie wohnt im Schattenlande,   260
Die des Hauses Mutter war,
Denn es fehlt ihr treues Walten,
Ihre Sorge wacht nicht mehr,
An verwaister Stätte schalten
Wird die Fremde, liebeleer.   265

Bis die Glocke sich verkühlet,
Laßt die strenge Arbeit ruhn,

Wie im Laub der Vogel spielet,
Mag sich jeder gütlich tun.
  Winkt der Sterne Licht,   270
  Ledig aller Pflicht
Hört der Pursch die Vesper schlagen,
Meister muß sich immer plagen.

Munter fördert seine Schritte
Fern im wilden Forst der Wandrer   275
Nach der lieben Heimathütte.
Blökend ziehen heim die Schafe,
Und der Rinder
Breitgestirnte, glatte Scharen
Kommen brüllend,   280
Die gewohnten Ställe füllend.
Schwer herein
Schwankt der Wagen,
Kornbeladen,
Bunt von Farben   285
Auf den Garben
Liegt der Kranz,
Und das junge Volk der Schnitter
Fliegt zum Tanz.
Markt und Straße werden stiller,   290
Um des Lichts gesellge Flamme
Sammeln sich die Hausbewohner,
Und das Stadttor schließt sich knarrend.
Schwarz bedecket
Sich die Erde,   295
Doch den sichern Bürger schrecket
Nicht die Nacht,
Die den Bösen gräßlich wecket,
Denn das Auge des Gesetzes wacht.

Heilge Ordnung, segenreiche   300
Himmelstochter, die das Gleiche

Frei und leicht und freudig bindet,
Die der Städte Bau gegründet,
Die herein von den Gefilden
Rief den ungesellgen Wilden,   305
Eintrat in der Menschen Hütten,
Sie gewöhnt zu sanften Sitten
Und das teuerste der Bande
Wob, den Trieb zum Vaterlande!

Tausend fleißge Hände regen,   310
Helfen sich in munterm Bund,
Und in feurigem Bewegen
Werden alle Kräfte kund.
Meister rührt sich und Geselle
In der Freiheit heilgem Schutz.   315
Jeder freut sich seiner Stelle,
Bietet dem Verächter Trutz.
Arbeit ist des Bürgers Zierde,
Segen ist der Mühe Preis,
Ehrt den König seine Würde,   320
Ehret *uns* der Hände Fleiß.

Holder Friede,
Süße Eintracht,
Weilet, weilet
Freundlich über dieser Stadt!   325
Möge nie der Tag erscheinen,
Wo des rauhen Krieges Horden
Dieses stille Tal durchtoben,
Wo der Himmel,
Den des Abends sanfte Röte   330
Lieblich malt,
Von der Dörfer, von der Städte
Wildem Brande schrecklich strahlt!

Nun zerbrecht mir das Gebäude,
Seine Absicht hats erfüllt,   335

Daß sich Herz und Auge weide
An dem wohlgelungnen Bild.
   Schwingt den Hammer, schwingt,
   Bis der Mantel springt,
Wenn die Glock soll auferstehen, 340
Muß die Form in Stücken gehen.

Der Meister kann die Form zerbrechen
Mit weiser Hand, zur rechten Zeit,
Doch wehe, wenn in Flammenbächen
Das glühnde Erz sich selbst befreit! 345
Blindwütend mit des Donners Krachen
Zersprengt es das geborstne Haus,
Und wie aus offnem Höllenrachen
Speit es Verderben zündend aus;
Wo rohe Kräfte sinnlos walten, 350
Da kann sich kein Gebild gestalten,
Wenn sich die Völker selbst befrein,
Da kann die Wohlfahrt nicht gedeihn.

Weh, wenn sich in dem Schoß der Städte
Der Feuerzunder still gehäuft, 355
Das Volk, zerreißend seine Kette,
Zur Eigenhilfe schrecklich greift!
Da zerret an der Glocke Strängen
Der Aufruhr, daß sie heulend schallt
Und, nur geweiht zu Friedensklängen, 360
Die Losung anstimmt zur Gewalt.

Freiheit und Gleichheit! hört man schallen,
Der ruhge Bürger greift zur Wehr,
Die Straßen füllen sich, die Hallen,
Und Würgerbanden ziehn umher, 365
Da werden Weiber zu Hyänen
Und treiben mit Entsetzen Scherz,
Noch zuckend, mit des Panthers Zähnen,

Zerreißen sie des Feindes Herz.
Nichts Heiliges ist mehr, es lösen   370
Sich alle Bande frommer Scheu,
Der Gute räumt den Platz dem Bösen,
Und alle Laster walten frei.
Gefährlich ists, den Leu zu wecken,
Verderblich ist des Tigers Zahn,   375
Jedoch der schrecklichste der Schrecken,
Das ist der Mensch in seinem Wahn.
Weh denen, die dem Ewigblinden
Des Lichtes Himmelsfackel leihn!
Sie strahlt ihm nicht, sie kann nur zünden   380
Und äschert Städt und Länder ein.

    Freude hat mir Gott gegeben!
    Sehet! wie ein goldner Stern
    Aus der Hülse, blank und eben,
    Schält sich der metallne Kern.   385
       Von dem Helm zum Kranz
       Spielts wie Sonnenglanz,
    Auch des Wappens nette Schilder
    Loben den erfahrnen Bilder.

Herein! herein!   390
Gesellen alle, schließt den Reihen,
Daß wir die Glocke taufend weihen,
Concordia soll ihr Name sein,
Zur Eintracht, zu herzinnigem Vereine
Versammle sie die liebende Gemeine.   395

Und dies sei fortan ihr Beruf,
Wozu der Meister sie erschuf!
Hoch überm niedern Erdenleben
Soll sie in blauem Himmelszelt
Die Nachbarin des Donners schweben   400
Und grenzen an die Sternenwelt,

Soll eine Stimme sein von oben,
Wie der Gestirne helle Schar,
Die ihren Schöpfer wandelnd loben
Und führen das bekränzte Jahr.   405
Nur ewigen und ernsten Dingen
Sei ihr metallner Mund geweiht,
Und stündlich mit den schnellen Schwingen
Berühr im Fluge sie die Zeit,
Dem Schicksal leihe sie die Zunge,   410
Selbst herzlos, ohne Mitgefühl,
Begleite sie mit ihrem Schwunge
Des Lebens wechselvolles Spiel.
Und wie der Klang im Ohr vergehet,
Der mächtig tönend ihr entschallt,   415
So lehre sie, daß nichts bestehet,
Daß alles Irdische verhallt.

   Jetzo mit der Kraft des Stranges
   Wiegt die Glock mir aus der Gruft,
   Daß sie in das Reich des Klanges   420
   Steige, in die Himmelsluft.
      Ziehet, ziehet, hebt!
    Sie bewegt sich, schwebt,
   Freude dieser Stadt bedeute,
   Friede sei ihr erst Geläute.   425

Das Siegesfest

   Priams Feste war gesunken,
   Troja lag in Schutt und Staub,
   Und die Griechen, siegestrunken,
   Reich beladen mit dem Raub,
   Saßen auf den hohen Schiffen   5
   Längs des Hellespontos Strand,

Auf der frohen Fahrt begriffen
Nach dem schönen Griechenland.
  Stimmet an die frohen Lieder,
  Denn dem väterlichen Herd   10
  Sind die Schiffe zugekehrt,
  Und zur Heimat geht es wieder.

Und in langen Reihen, klagend,
Saß der Trojerinnen Schar,
Schmerzvoll an die Brüste schlagend,   15
Bleich mit aufgelöstem Haar.
In das wilde Fest der Freuden
Mischten sie den Wehgesang,
Weinend um das eigne Leiden
In des Reiches Untergang.   20
  Lebe wohl, geliebter Boden!
  Von der süßen Heimat fern,
  Folgen wir dem fremden Herrn,
  Ach wie glücklich sind die Toten!

Und den hohen Göttern zündet   25
Kalchas jetzt das Opfer an.
Pallas, die die Städte gründet
Und zertrümmert, ruft er an,
Und Neptun, der um die Länder
Seinen Wogengürtel schlingt,   30
Und den Zeus, den Schreckensender,
Der die Ägis grausend schwingt.
  Ausgestritten, ausgerungen
  Ist der lange, schwere Streit,
  Ausgefüllt der Kreis der Zeit,   35
  Und die große Stadt bezwungen.

Atreus' Sohn, der Fürst der Scharen,
Übersah der Völker Zahl,

Die mit ihm gezogen waren
Einst in des Skamanders Tal. 40
Und des Kummers finstre Wolke
Zog sich um des Königs Blick,
Von dem hergeführten Volke
Bracht er wenge nur zurück.
    Drum erhebe frohe Lieder, 45
    Wer die Heimat wiedersieht,
    Wem noch frisch das Leben blüht,
    Denn nicht alle kehren wieder!

Alle nicht, die wiederkehren,
Mögen sich des Heimzugs freun, 50
An den häuslichen Altären
Kann der Mord bereitet sein.
Mancher fiel durch Freundestücke,
Den die blutge Schlacht verfehlt,
Sprachs Ulyß mit Warnungsblicke, 55
Von Athenens Geist beseelt.
    Glücklich, wem der Gattin Treue
    Rein und keusch das Haus bewahrt,
    Denn das Weib ist falscher Art,
    Und die Arge liebt das Neue! 60

Und des frisch erkämpften Weibes
Freut sich der Atrid und strickt
Um den Reiz des schönen Leibes
Seine Arme hochbeglückt.
Böses Werk muß untergehen, 65
Rache folgt der Freveltat,
Denn gerecht in Himmelshöhen
Waltet des Kroniden Rat!
    Böses muß mit Bösem enden,
    An dem frevelnden Geschlecht 70
    Rächet Zeus das Gastesrecht,
    Wägend mit gerechten Händen.

Wohl dem Glücklichen mags ziemen,
Ruft Oileus' tapfrer Sohn,
Die Regierenden zu rühmen   75
Auf dem hohen Himmelsthron!
Ohne Wahl verteilt die Gaben,
Ohne Billigkeit das Glück,
Denn Patroklus liegt begraben,
Und Thersites kommt zurück!   80
  Weil das Glück aus seiner Tonnen
  Die Geschicke blind verstreut,
  Freue sich und jauchze heut,
  Wer das Lebenslos gewonnen!

Ja, der Krieg verschlingt die Besten!   85
Ewig werde dein gedacht,
Bruder, bei der Griechen Festen,
Der ein Turm war in der Schlacht.
Da der Griechen Schiffe brannten,
War in deinem Arm das Heil,   90
Doch dem Schlauen, Vielgewandten
Ward der schöne Preis zuteil!
  Friede deinen heilgen Resten!
  Nicht der Feind hat dich entrafft,
  Ajax fiel durch Ajax' Kraft,   95
  Ach, der Zorn verderbt die Besten!

Dem Erzeuger jetzt, dem großen,
Gießt Neoptolem des Weins:
Unter allen irdschen Losen,
Hoher Vater, preis ich deins.   100
Von des Lebens Gütern allen
Ist der Ruhm das höchste doch,
Wenn der Leib in Staub zerfallen,
Lebt der große Name noch.
  Tapfrer, deines Ruhmes Schimmer   105
  Wird unsterblich sein im Lied;

Denn das irdische Leben flieht,
Und die Toten dauern immer.

Weil des Liedes Stimmen schweigen
Von dem überwundnen Mann,   110
So will *ich* für Hektorn zeugen,
Hub der Sohn des Tydeus an; –
Der für seine Hausaltäre
Kämpfend, ein Beschirmer fiel –
Krönt den Sieger größre Ehre,   115
Ehret *ihn* das schönre Ziel!
   Der für seine Hausaltäre
   Kämpfend sank, ein Schirm und Hort,
   Auch in Feindes Munde fort
   Lebt ihm seines Namens Ehre.   120

Nestor jetzt, der alte Zecher,
Der drei Menschenalter sah,
Reicht den laubumkränzten Becher
Der betränten Hekuba:
Trink ihn aus, den Trank der Labe,   125
Und vergiß den großen Schmerz,
Wundervoll ist Bacchus' Gabe,
Balsam fürs zerrißne Herz!
   Trink ihn aus, den Trank der Labe,
   Und vergiß den großen Schmerz,   130
   Balsam fürs zerrißne Herz,
   Wundervoll ist Bacchus' Gabe.

Denn auch Niobe, dem schweren
Zorn der Himmlischen ein Ziel,
Kostete die Frucht der Ähren   135
Und bezwang das Schmerzgefühl.
Denn solang die Lebensquelle
Schäumet an der Lippen Rand,
Ist der Schmerz in Lethes Welle
Tief versenkt und festgebannt!   140

Denn solang die Lebensquelle
An der Lippen Rande schäumt,
Ist der Jammer weggeträumt,
Fortgespült in Lethes Welle.

Und von ihrem Gott ergriffen,   145
Hub sich jetzt die Seherin,
Blickte von den hohen Schiffen
Nach dem Rauch der Heimat hin:
Rauch ist alles irdsche Wesen,
Wie des Dampfes Säule weht,   150
Schwinden alle Erdengrößen,
Nur die Götter bleiben stet.
  Um das Roß des Reiters schweben,
  Um das Schiff die Sorgen her,
  Morgen können wirs nicht mehr,   155
  Darum laßt uns heute leben!

Elegien

Der Spaziergang

Sei mir gegrüßt, mein Berg mit dem rötlich strahlenden
                                              Gipfel!
   Sei mir, Sonne, gegrüßt, die ihn so lieblich bescheint!
Dich auch grüß ich, belebte Flur, euch, säuselnde Linden,
   Und den fröhlichen Chor, der auf den Ästen sich wiegt,
Ruhige Bläue, dich auch, die unermeßlich sich ausgießt   5
   Um das braune Gebirg, über den grünenden Wald,
Auch um mich, der endlich entflohn des Zimmers Gefängnis
   Und dem engen Gespräch freudig sich rettet zu dir.
Deiner Lüfte balsamischer Strom durchrinnt mich
                                              erquickend,
   Und den durstigen Blick labt das energische Licht.   10
Kräftig auf blühender Au erglänzen die wechselnden Farben,
   Aber der reizende Streit löset in Anmut sich auf.
Frei empfängt mich die Wiese mit weithin verbreitetem
                                              Teppich,
   Durch ihr freundliches Grün schlingt sich der ländliche
                                              Pfad,
Um mich summt die geschäftige Bien, mit zweifelndem
                                              Flügel   15
   Wiegt der Schmetterling sich über dem rötlichten Klee.
Glühend trifft mich der Sonne Pfeil, still liegen die Weste,
   Nur der Lerche Gesang wirbelt in heiterer Luft.
Doch jetzt brausts aus dem nahen Gebüsch, tief neigen der
                                              Erlen
   Kronen sich, und im Wind wogt das versilberte Gras.   20
Mich umfängt ambrosische Nacht; in duftende Kühlung
   Nimmt ein prächtiges Dach schattender Buchen mich ein,
In des Waldes Geheimnis entflieht mir auf einmal die
                                              Landschaft,

Und ein schlängelnder Pfad leitet mich steigend empor.
Nur verstohlen durchdringt der Zweige laubigtes Gitter   25
    Sparsames Licht, und es blickt lachend das Blaue herein.
Aber plötzlich zerreißt der Flor. Der geöffnete Wald gibt
    Überraschend des Tags blendendem Glanz mich zurück.
Unabsehbar ergießt sich vor meinen Blicken die Ferne,
    Und ein blaues Gebirg endigt im Dufte die Welt.   30
Tief an des Berges Fuß, der gählings unter mir abstürzt,
    Wallet des grünlichten Stroms fließender Spiegel vorbei.
Endlos unter mir seh ich den Äther, über mir endlos,
    Blicke mit Schwindeln hinauf, blicke mit Schaudern
                hinab.
Aber zwischen der ewigen Höh und der ewigen Tiefe   35
    Trägt ein geländerter Steig sicher den Wandrer dahin.
Lachend fliehen an mir die reichen Ufer vorüber,
    Und den fröhlichen Fleiß rühmet das prangende Tal.
Jene Linien, sieh! die des Landmanns Eigentum scheiden,
    In den Teppich der Flur hat sie Demeter gewirkt.   40
Freundliche Schrift des Gesetzes, des menschenerhaltenden
                Gottes,
    Seit aus der ehernen Welt fliehend die Liebe verschwand,
Aber in freieren Schlangen durchkreuzt die geregelten
                Feldern,
Jetzt verschlungen vom Wald, jetzt an den Bergen hinauf
Klimmend, ein schimmernder Streif, die Länder
                  verknüpfende Straße;   45
    Auf dem ebenen Strom gleiten die Flöße dahin.
Vielfach ertönt der Herden Geläut im belebten Gefilde,
    Und den Widerhall weckt einsam des Hirten Gesang.
Muntre Dörfer bekränzen den Strom, in Gebüschen
                verschwinden
    Andre, vom Rücken des Bergs stürzen sie gäh dort
                herab.   50
Nachbarlich wohnet der Mensch noch mit dem Acker
                zusammen,
    Seine Felder umruhn friedlich sein ländliches Dach,

Traulich rankt sich die Reb empor an dem niedrigen Fenster,
 Einen umarmenden Zweig schlingt um die Hütte der
 Baum.
Glückliches Volk der Gefilde! noch nicht zur Freiheit
 erwachet, 55
 Teilst du mit deiner Flur fröhlich das enge Gesetz.
Deine Wünsche beschränkt der Ernten ruhiger Kreislauf,
 Wie dein Tagewerk, gleich, windet dein Leben sich ab!
Aber wer raubt mir auf einmal den lieblichen Anblick? Ein
 fremder
 Geist verbreitet sich schnell über die fremdere Flur! 60
Spröde sondert sich ab, was kaum noch liebend sich
 mischte,
 Und das Gleiche nur ists, was an das Gleiche sich reiht.
Stände seh ich gebildet, der Pappeln stolze Geschlechter
 Ziehn in geordnetem Pomp vornehm und prächtig daher.
Regel wird alles, und alles wird Wahl und alles
 Bedeutung, 65
 Dieses Dienergefolg meldet den Herrscher mir an.
Prangend verkündigen ihn von fern die beleuchteten
 Kuppeln,
 Aus dem felsigten Kern hebt sich die türmende *Stadt.*
In die Wildnis hinaus sind des Waldes Faunen verstoßen,
 Aber die Andacht leiht höheres Leben dem Stein. 70
Näher gerückt ist der Mensch an den Menschen. Enger wird
 um ihn,
 Reger erwacht, es umwälzt rascher sich in ihm die Welt.
Sieh, da entbrennen in feurigem Kampf die eifernden Kräfte,
 Großes wirket ihr Streit, Größeres wirket ihr Bund.
Tausend Hände belebt *ein* Geist, hoch schläget in tausend 75
 Brüsten, von *einem* Gefühl glühend, ein einziges Herz,
Schlägt für das Vaterland und glüht für der Ahnen Gesetze,
 Hier auf dem teuren Grund ruht ihr verehrtes Gebein.
Nieder steigen vom Himmel die seligen Götter und nehmen
 In dem geweihten Bezirk festliche Wohnungen ein, 80
Herrliche Gaben bescherend erscheinen sie; Ceres vor allen

Bringet des Pfluges Geschenk, Hermes den Anker herbei,
Bacchus die Traube, Minerva des Ölbaums grünende Reiser,
    Auch das kriegrische Roß führet Poseidon heran,
Mutter Cybele spannt an des Wagens Deichsel die Löwen, 85
    In das gastliche Tor zieht sie als Bürgerin ein.
Heilige Steine! Aus euch ergossen sich Pflanzer der
                                                Menschheit,
    Fernen Inseln des Meers sandtet ihr Sitten und Kunst,
Weise sprachen das Recht an diesen geselligen Toren,
    Helden stürzten zum Kampf für die Penaten heraus.   90
Auf den Mauren erschienen, den Säugling im Arme, die
                                                Mütter,
    Blickten dem Heerzug nach, bis ihn die Ferne verschlang.
Betend stürzten sie dann vor der Götter Altären sich nieder,
    Flehten um Ruhm und Sieg, flehten um Rückkehr für
                                                euch.
Ehre ward euch und Sieg, doch der Ruhm nur kehrte
                                                zurücke,   95
    Eurer Taten Verdienst meldet der rührende Stein:
»Wanderer, kommst du nach Sparta, verkündige dorten, du
                                                habest
    Uns hier liegen gesehn, wie das Gesetz es befahl.«
Ruhet sanft, ihr Geliebten! Von eurem Blute begossen,
    Grünet der Ölbaum, es keimt lustig die köstliche Saat. 100
Munter entbrennt, des Eigentums froh, das freie Gewerbe,
    Aus dem Schilfe des Stroms winket der bläulichte Gott.
Zischend fliegt in den Baum die Axt, es erseufzt die Dryade,
    Hoch von des Berges Haupt stürzt sich die donnernde
                                                Last.
Aus dem Felsbruch wiegt sich der Stein, vom Hebel
                                                beflügelt,   105
    In der Gebirge Schlucht taucht sich der Bergmann hinab.
Mulcibers Amboß tönt von dem Takt geschwungener
                                                Hämmer,
    Unter der nervigten Faust spritzen die Funken des Stahls.
Glänzend umwindet der goldene Lein die tanzende Spindel,

Durch die Saiten des Garns sauset das webende Schiff. 110
Fern auf der Reede ruft der Pilot, es warten die Flotten,
  Die in der Fremdlinge Land tragen den heimischen Fleiß,
Andre ziehn frohlockend dort ein, mit den Gaben der
                                                    Ferne,
  Hoch von dem ragenden Mast wehet der festliche Kranz.
Siehe, da wimmeln die Märkte, der Kran von fröhlichem
                                                    Leben, 115
  Seltsamer Sprachen Gewirr braust in das wundernde Ohr.
Auf den Stapel schüttet die Ernten der Erde der Kaufmann,
  Was dem glühenden Strahl Afrikas Boden gebiert,
Was Arabien kocht, was die äußerste Thule bereitet,
  Hoch mit erfreuendem Gut füllt Amalthea das Horn. 120
Da gebieret das Glück dem Talente die göttlichen Kinder,
  Von der Freiheit gesäugt, wachsen die Künste der Lust.
Mit nachahmendem Leben erfreuet der Bildner die Augen,
  Und vom Meißel beseelt, redet der fühlende Stein,
Künstliche Himmel ruhn auf schlanken jonischen Säulen, 125
  Und den ganzen Olymp schließet ein Pantheon ein.
Leicht wie der Iris Sprung durch die Luft, wie der Pfeil von
                                                    der Senne,
  Hüpfet der Brücke Joch über den brausenden Strom.
Aber im stillen Gemach entwirft bedeutende Zirkel
  Sinnend der Weise, beschleicht forschend den schaffenden
                                                    Geist, 130
Prüft der Stoffe Gewalt, der Magnete Hassen und Lieben,
  Folgt durch die Lüfte dem Klang, folgt durch den Äther
                                                    dem Strahl,
Sucht das vertraute Gesetz in des Zufalls grausenden
                                                    Wundern,
  Sucht den ruhenden Pol in der Erscheinungen Flucht.
Körper und Stimme leiht die Schrift dem stummen
                                                    Gedanken, 135
  Durch der Jahrhunderte Strom trägt ihn das redende Blatt.
Da zerrinnt vor dem wundernden Blick der Nebel des
                                                    Wahnes,

Und die Gebilde der Nacht weichen dem tagenden Licht.
Seine Fesseln zerbricht der Mensch. Der Beglückte! Zerriss'
                                                    er
Mit den Fesseln der Furcht nur nicht den Zügel der
                                          Scham!   140
Freiheit ruft die Vernunft, Freiheit die wilde Begierde,
    Von der heilgen Natur ringen sie lüstern sich los.
Ach, da reißen im Sturm die Anker, die an dem Ufer
    Warnend ihn hielten, ihn faßt mächtig der flutende Strom,
Ins Unendliche reißt er ihn hin, die Küste verschwindet,   145
    Hoch auf der Fluten Gebirg wiegt sich entmastet der
                                          Kahn,
Hinter Wolken erlöschen des Wagens beharrliche Sterne,
    Bleibend ist nichts mehr, es irrt selbst in dem Busen der
                                          Gott.
Aus dem Gespräche verschwindet die Wahrheit, Glauben
                                          und Treue
    Aus dem Leben, es lügt selbst auf der Lippe der
                                          Schwur.   150
In der Herzen vertraulichsten Bund, in der Liebe Geheimnis
    Drängt sich der Sykophant, reißt von dem Freunde den
                                          Freund,
Auf die Unschuld schielt der Verrat mit verschlingendem
                                          Blicke,
    Mit vergiftendem Biß tötet des Lästerers Zahn.
Feil ist in der geschändeten Brust der Gedanke, die Liebe 155
    Wirft des freien Gefühls göttlichen Adel hinweg.
Deiner heiligen Zeichen, o Wahrheit, hat der Betrug sich
    Angemaßt, der Natur köstlichste Stimmen entweiht,
Die das bedürftige Herz in der Freude Drang sich erfindet,
    Kaum gibt wahres Gefühl noch durch Verstummen sich
                                          kund.   160
Auf der Tribüne prahlet das Recht, in der Hütte die
                                          Eintracht,
    Des Gesetzes Gespenst steht an der Könige Thron.
Jahrelang mag, jahrhundertelang die Mumie dauern,

Mag das trügende Bild lebender Fülle bestehn,
Bis die Natur erwacht, und mit schweren ehernen
Händen 165
An das hohle Gebäu rühret die Not und die Zeit,
Einer Tigerin gleich, die das eiserne Gitter durchbrochen
Und des numidischen Walds plötzlich und schrecklich
gedenkt,
Aufsteht mit des Verbrechens Wut und des Elends die
Menschheit
Und in der Asche der Stadt sucht die verlorne Natur. 170
O, so öffnet euch, Mauren, und gebt den Gefangenen ledig,
Zu der verlassenen Flur kehr er gerettet zurück!
Aber wo bin ich? Es birgt sich der Pfad. Abschüssige
Gründe
Hemmen mit gähnender Kluft hinter mir, vor mir den
Schritt.
Hinter mir blieb der Gärten, der Hecken vertraute
Begleitung, 175
Hinter mir jegliche Spur menschlicher Hände zurück.
Nur die Stoffe seh ich getürmt, aus welchen das Leben
Keimet, der rohe Basalt hofft auf die bildende Hand.
Brausend stürzt der Gießbach herab durch die Rinne des
Felsen,
Unter den Wurzeln des Baums bricht er entrüstet sich
Bahn. 180
Wild ist es hier und schauerlich öd. Im einsamen Luftraum
Hängt nur der Adler und knüpft an das Gewölke die Welt.
Hoch herauf bis zu mir trägt keines Windes Gefieder
Den verlorenen Schall menschlicher Mühen und Lust.
Bin ich wirklich allein? In deinen Armen, an deinem 185
Herzen wieder, Natur, ach! und es war nur ein Traum,
Der mich schaudernd ergriff mit des Lebens furchtbarem
Bilde,
Mit dem stürzenden Tal stürzte der finstre hinab.
Reiner nehm ich mein Leben von deinem reinen Altare,
Nehme den fröhlichen Mut hoffender Jugend zurück! 190

Ewig wechselt der Wille den Zweck und die Regel, in ewig
    Wiederholter Gestalt wälzen die Taten sich um.
Aber jugendlich immer, in immer veränderter Schöne
    Ehrst du, fromme Natur, züchtig das alte Gesetz,
Immer dieselbe, bewahrst du in treuen Händen dem
                          Manne,   195
    Was dir das gaukelnde Kind, was dir der Jüngling
                            vertraut,
Nährest an gleicher Brust die vielfach wechselnden Alter;
    Unter demselben Blau, über dem nämlichen Grün
Wandeln die nahen und wandeln vereint die fernen
                          Geschlechter,
    Und die Sonne Homers, siehe! sie lächelt auch uns.   200

Der Tanz

Siehe, wie schwebenden Schritts im Wellenschwung sich die
                         Paare
    Drehen, den Boden berührt kaum der geflügelte Fuß.
Seh ich flüchtige Schatten, befreit von der Schwere des
                         Leibes?
    Schlingen im Mondlicht dort Elfen den luftigen Reihn?
Wie, vom Zephir gewiegt, der leichte Rauch in die Luft
                         fließt,   5
    Wie sich leise der Kahn schaukelt auf silberner Flut,
Hüpft der gelehrige Fuß auf des Takts melodischer Woge,
    Säuselndes Saitengetön hebt den ätherischen Leib.
Jetzt, als wollt es mit Macht durchreißen die Kette des
                         Tanzes,
    Schwingt sich ein mutiges Paar dort in den dichtesten
                         Reihn.   10
Schnell vor ihm her entsteht ihm die Bahn, die hinter ihm
                         schwindet,
    Wie durch magische Hand öffnet und schließt sich der Weg.

Sieh! jetzt schwand es dem Blick, in wildem Gewirr
durcheinander
Stürzt der zierliche Bau dieser beweglichen Welt.
Nein, dort schwebt es frohlockend herauf, der Knoten
entwirrt sich,   15
Nur mit verändertem Reiz stellet die Regel sich her.
Ewig zerstört, es erzeugt sich ewig die drehende Schöpfung,
Und ein stilles Gesetz lenkt der Verwandlungen Spiel.
Sprich, wie geschiehts, daß rastlos erneut die Bildungen
schwanken
Und die Ruhe besteht in der bewegten Gestalt?   20
Jeder ein Herrscher, frei, nur dem eigenen Herzen gehorchet
Und im eilenden Lauf findet die einzige Bahn?
Willst du es wissen? Es ist des Wohllauts mächtige Gottheit,
Die zum geselligen Tanz ordnet den tobenden Sprung,
Die, der Nemesis gleich, an des Rhythmus goldenem
Zügel   25
Lenkt die brausende Lust und die verwilderte zähmt.
Und dir rauschen umsonst die Harmonien des Weltalls,
Dich ergreift nicht der Strom dieses erhabnen Gesangs,
Nicht der begeisternde Takt, den alle Wesen dir schlagen,
Nicht der wirbelnde Tanz, der durch den ewigen Raum   30
Leuchtende Sonnen schwingt in kühn gewundenen Bahnen?
Das du im Spiele doch ehrst, fliehst du im Handeln, das
Maß.

Der Genius

»Glaub ich«, sprichst du, »dem Wort, das der Weisheit
Meister mich lehren,
Das der Lehrlinge Schar sicher und fertig beschwört?
Kann die Wissenschaft nur zum wahren Frieden mich
führen,
Nur des Systemes Gebälk stützen das Glück und das
Recht?

Muß ich dem Trieb mißtraun, der leise mich warnt, dem
                                 Gesetze,   5
  Das du selber, Natur, mir in den Busen geprägt,
Bis auf die ewige Schrift die *Schul* ihr Siegel gedrücket
  Und der Formel Gefäß bindet den flüchtigen Geist?
Sage du mirs, du bist in diese Tiefen gestiegen,
  Aus dem modrigten Grab kamst du erhalten zurück,   10
Dir ist bekannt, was die Gruft der dunklen Wörter
                              bewahret,
  Ob der Lebenden Trost dort bei den Mumien wohnt.
Muß ich ihn wandeln, den nächtlichen Weg? Mir graut, ich
                              bekenn es!
  Wandeln will ich ihn doch, führt es zu Wahrheit und
                              Recht. «
Freund, du kennst doch die Goldene Zeit, es haben die
                             Dichter   15
  Manche Sage von ihr rührend und kindlich erzählt,
Jene Zeit, da das Heilige noch im Leben gewandelt,
  Da jungfräulich und keusch noch das Gefühl sich
                              bewahrt,
Da noch das große Gesetz, das oben im Sonnenlauf waltet
  Und verborgen im Ei reget den hüpfenden Punkt,   20
Noch der Notwendigkeit stilles Gesetz, das stetige, gleiche,
  Auch der menschlichen Brust freiere Wellen bewegt,
Da nicht irrend der Sinn und treu, wie der Zeiger am
                              Uhrwerk,
  Auf das Wahrhaftige nur, nur auf das Ewige wies?
Da war kein Profaner, kein Eingeweihter zu sehen,   25
  Was man lebendig empfand, ward nicht bei Toten
                              gesucht,
Gleich verständlich für jegliches Herz war die ewige Regel,
  Gleich verborgen der Quell, dem sie belebend entfloß.
Aber die glückliche Zeit ist dahin! Vermessene Willkür
  Hat der getreuen Natur göttlichen Frieden gestört.   30
Das entweihte Gefühl ist nicht mehr Stimme der Götter,
  Und das Orakel verstummt in der entadelten Brust.

Nur in dem stilleren Selbst vernimmt es der horchende Geist
noch,
Und den heiligen Sinn hütet das mystische Wort.
Hier beschwört es der Forscher, der reines Herzens
hinabsteigt,   35
Und die verlorne Natur gibt ihm die Weisheit zurück.
Hast du, Glücklicher, nie den schützenden Engel verloren,
Nie des frommen Instinkts liebende Warnung verwirkt,
Malt in dem keuschen Auge noch treu und rein sich die
Wahrheit,
Tönt ihr Rufen dir noch hell in der kindlichen Brust,   40
Schweigt noch in dem zufriednen Gemüt des Zweifels
Empörung,
Wird sie, weißt dus gewiß, schweigen auf ewig wie heut,
Wird der Empfindungen Streit nie eines Richters bedürfen,
Nie den hellen Verstand trüben das tückische Herz –
O dann gehe du hin in deiner köstlichen Unschuld,   45
Dich kann die Wissenschaft nichts lehren. Sie lerne von
dir!
Jenes Gesetz, das mit ehrnem Stab den Sträubenden lenket,
Dir nicht gilts. Was du tust, was dir gefällt, ist Gesetz,
Und an alle Geschlechter ergeht ein göttliches Machtwort,
Was du mit heiliger Hand bildest, mit heiligem Mund   50
Redest, wird den erstaunten Sinn allmächtig bewegen,
Du nur merkst nicht den Gott, der dir im Busen gebeut,
Nicht des Siegels Gewalt, das alle Geister dir beuget,
Einfach gehst du und still durch die eroberte Welt.

Nänie

Auch das Schöne muß sterben! Das Menschen und Götter
bezwinget,
Nicht die eherne Brust rührt es des stygischen Zeus.
Einmal nur erweichte die Liebe den Schattenbeherrscher,

Und an der Schwelle noch, streng, rief er zurück sein
Geschenk.
Nicht stillt Aphrodite dem schönen Knaben die Wunde,   5
Die in den zierlichen Leib grausam der Eber geritzt.
Nicht errettet den göttlichen Held die unsterbliche Mutter,
Wann er, am skäischen Tor fallend, sein Schicksal erfüllt.
Aber sie steigt aus dem Meer mit allen Töchtern des Nereus,
Und die Klage hebt an um den verherrlichten Sohn.   10
Siehe! Da weinen die Götter, es weinen die Göttinnen alle,
Daß das Schöne vergeht, daß das Vollkommene stirbt.
Auch ein Klaglied zu sein im Mund der Geliebten, ist
herrlich,
Denn das Gemeine geht klanglos zum Orkus hinab.

Shakespeares Schatten

Endlich erblick' ich auch die hohe Kraft des Herakles,
Seinen Schatten. Er selbst, leider, war nicht mehr zu sehn.
Ringsum schrie, wie Vögelgeschrei, das Geschrei der
Tragöden
Und das Hundegebell der Dramaturgen um ihn.
Schauerlich stand das Ungetüm da. Gespannt war der
Bogen,   5
Und der Pfeil auf der Senn traf noch beständig das Herz.
»Welche noch kühnere Tat, Unglücklicher, wagest du jetzo,
Zu den Verstorbenen selbst niederzusteigen, ins Grab!« –
Wegen Tiresias mußt' ich herab, den Seher zu fragen,
Wo ich den alten Kothurn fände, der nicht mehr zu
sehn.   10
»Glauben sie nicht der Natur und den alten Griechen, so
holst du
Eine Dramaturgie ihnen vergeblich herauf.« –
O die Natur, die zeigt auf unsern Bühnen sich wieder,
Splitternackend, daß man jegliche Rippe ihr zählt.

»Wie? So ist wirklich bei euch der alte Kothurnus zu
                                   sehen,   15
Den zu holen ich selbst stieg in des Tartarus Nacht?« –
Nichts mehr von diesem tragischen Spuk. Kaum einmal im
                                   Jahre
Geht dein geharnischter Geist über die Bretter hinweg.
»Auch gut! Philosophie hat eure Gefühle geläutert,
Und vor dem heitern Humor fliehet der schwarze
                                   Affekt.« –   20
Ja, ein derber und trockener Spaß, nichts geht uns darüber,
   Aber der Jammer auch, wenn er nur naß ist, gefällt.
»Also sieht man bei euch den leichten Tanz der Thalia
   Neben dem ernsten Gang, welchen Melpomene geht?« –
Keines von beiden! Uns kann nur das Christlich-Moralische
                                   rühren   25
Und was recht populär, häuslich und bürgerlich ist.
»Was? Es dürfte kein Cäsar auf euren Bühnen sich zeigen,
   Kein Anton, kein Orest, keine Andromacha mehr?« –
Nichts! Man siehet bei uns nur Pfarrer, Kommerzienräte,
   Fähndriche, Sekretärs oder Husarenmajors.   30
»Aber ich bitte dich, Freund, was kann denn dieser Misere
   Großes begegnen, was kann Großes denn durch sie
                                   geschehn?« –
Was? Sie machen Kabale, sie leihen auf Pfänder, sie stecken
   Silberne Löffel ein, wagen den Pranger und mehr.
»Woher nehmt ihr denn aber das große gigantische
                                   Schicksal,   35
Welches den Menschen erhebt, wenn es den Menschen
                                   zermalmt?« –
Das sind Grillen! Uns selbst und unsre guten Bekannten,
   Unsern Jammer und Not suchen und finden wir hier.
»Aber das habt ihr ja alles bequemer und besser zu Hause,
   Warum entfliehet ihr euch, wenn ihr euch selber nur
                                   sucht?« –   40
Nimm's nicht übel, mein Heros. Das ist ein verschiedener
                                   Kasus:

Das Geschick, das ist blind, und der Poet ist gerecht.
»Also *eure* Natur, die erbärmliche, trifft man auf euren
   Bühnen, die große nur nicht, nicht die unendliche an?« –
Der Poet ist der Wirt und der letzte Aktus die Zeche: 45
   Wenn sich das Laster erbricht, setzt sich die Tugend zu
                                          Tisch.

Das Glück

Selig, welchen die Götter, die gnädigen, vor der Geburt
                                          schon
   Liebten, welchen als Kind Venus im Arme gewiegt,
Welchem Phöbus die Augen, die Lippen Hermes gelöset,
   Und das Siegel der Macht Zeus auf die Stirne gedrückt!
Ein erhabenes Los, ein göttliches, ist ihm gefallen,   5
   Schon vor des Kampfes Beginn sind ihm die Schläfe
                                          bekränzt.
Ihm ist, eh er es lebte, das volle Leben gerechnet,
   Eh er die Mühe bestand, hat er die Charis erlangt.
Groß zwar nenn ich den Mann, der, sein eigner Bildner und
                                          Schöpfer,
   Durch der Tugend Gewalt selber die Parze bezwingt,   10
Aber nicht erzwingt er das Glück, und was ihm die Charis
   Neidisch geweigert, erringt nimmer der strebende Mut.
Vor Unwürdigem kann dich der Wille, der ernste,
                                          bewahren,
   Alles Höchste, es kommt frei von den Göttern herab.
Wie die Geliebte dich liebt, so kommen die himmlischen
                                          Gaben,   15
   Oben in Jupiters Reich herrscht wie in Amors die Gunst.
Neigungen haben die Götter, sie lieben der grünenden
                                          Jugend
   Lockigte Scheitel, es zieht Freude die Fröhlichen an.
Nicht der Sehende wird von ihrer Erscheinung beseligt,
   Ihrer Herrlichkeit Glanz hat nur der Blinde geschaut;   20

Gern erwählen sie sich der Einfalt kindliche Seele,
  In das bescheidne Gefäß schließen sie Göttliches ein.
Ungehofft sind sie da und täuschen die stolze Erwartung,
  Keines Bannes Gewalt zwinget die Freien herab.
Wem er geneigt, dem sendet der Vater der Menschen und
                                                    Götter   25
  Seinen Adler herab, trägt ihn zu himmlischen Höhn,
Unter die Menge greift er mit Eigenwillen, und welches
  Haupt ihm gefället, um das flicht er mit liebender Hand
Jetzt den Lorbeer und jetzt die herrschaftgebende Binde;
  Krönte doch selber den Gott nur das gewogene Glück.   30
Vor dem Glücklichen her tritt Phöbus, der pythische Sieger,
  Und der die Herzen bezwingt, Amor, der lächelnde Gott.
Vor ihm ebnet Poseidon das Meer, sanft gleitet des Schiffes
  Kiel, das den Cäsar führt und sein allmächtiges Glück.
Ihm zu Füßen legt sich der Leu, das brausende Delphin   35
  Steigt aus den Tiefen, und fromm beut es den Rücken ihm
                                                    an.
Zürne dem Glücklichen nicht, daß den leichten Sieg ihm die
                                                    Götter
  Schenken, daß aus der Schlacht Venus den Liebling
                                                    entrückt.
Ihn, den die lächelnde rettet, den Göttergeliebten beneid ich,
  Jenen nicht, dem sie mit Nacht deckt den verdunkelten
                                                    Blick.   40
War er weniger herrlich, Achilles, weil ihm Hephästos
  Selbst geschmiedet den Schild und das verderbliche
                                                    Schwert,
Weil um den sterblichen Mann der große Olymp sich
                                                    beweget?
  Das verherrlichet ihn, daß ihn die Götter geliebt,
Daß sie sein Zürnen geehrt und, Ruhm dem Liebling zu
                                                    geben,   45
  Hellas' bestes Geschlecht stürzen zum Orkus hinab.
Zürne der Schönheit nicht, daß sie schön ist, daß sie
                                                    verdienstlos

Wie der Lilie Kelch prangt durch der Venus Geschenk,
Laß sie die Glückliche sein, du schaust sie, du bist der
                                      Beglückte,
   Wie sie ohne Verdienst glänzt, so entzücket sie dich.   50
Freue dich, daß die Gabe des Lieds vom Himmel
                                    herabkommt,
   Daß der Sänger dir singt, was ihn die Muse gelehrt,
Weil der Gott ihn beseelt, so wird er dem Hörer zum Gotte,
   Weil er der Glückliche ist, kannst du der Selige sein.
Auf dem geschäftigen Markt, da führe Themis die Waage,   55
   Und es messe der Lohn streng an der Mühe sich ab;
Aber die Freude ruft nur ein Gott auf sterbliche Wangen,
   Wo kein Wunder geschieht, ist kein Beglückter zu sehn.
Alles Menschliche muß erst werden und wachsen und reifen,
   Und von Gestalt zu Gestalt führt es die bildende Zeit,   60
Aber das Glückliche siehest du nicht, das Schöne nicht
                                    werden,
   Fertig von Ewigkeit her steht es vollendet vor dir.
Jede irdische Venus ersteht wie die erste des Himmels,
   Eine dunkle Geburt aus dem unendlichen Meer;
Wie die erste Minerva, so tritt mit der Ägis gerüstet   65
   Aus des Donnerers Haupt jeder Gedanke des Lichts.

Sprüche und Votivtafeln

Die Führer des Lebens

Zweierlei Genien sinds, die dich durchs Leben geleiten,
  Wohl dir, wenn sie vereint helfend zur Seite dir stehn!
Mit erheiterndem Spiel verkürzt dir der eine die Reise,
  Leichter an seinem Arm werden dir Schicksal und Pflicht.
Unter Scherz und Gespräch begleitet er bis an die Kluft
                                        dich,   5
  Wo an der Ewigkeit Meer schaudernd der Sterbliche steht.
Hier empfängt dich entschlossen und ernst und schweigend
                                        der andre,
  Trägt mit gigantischem Arm über die Tiefe dich hin.
Nimmer widme dich *einem* allein. Vertraue dem erstern
  Deine *Würde* nicht an, nimmer dem andern dein *Glück*. 10

Kolumbus

Steure, mutiger Segler! Es mag der Witz dich verhöhnen,
  Und der Schiffer am Steur senken die lässige Hand.
Immer, immer nach West! Dort *muß* die Küste sich zeigen,
  Liegt sie doch deutlich und liegt schimmernd vor deinem
                                        Verstand.
Traue dem leitenden Gott und folge dem schweigenden
                                        Weltmeer,   5
  Wär sie noch nicht, sie stieg' jetzt aus den Fluten empor.
Mit dem Genius steht die Natur in ewigem Bunde,
  Was der eine verspricht, leistet die andre gewiß.

Das weibliche Ideal

An Amanda

Überall weichet das Weib dem Manne, nur in dem Höchsten
　　Weichet dem weiblichsten Weib immer der männlichste
　　　　　　　　　　　　Mann.
Was das Höchste mir sei? Des Sieges ruhige Klarheit,
　　Wie sie von deiner Stirn, holde Amanda, mir strahlt.
Schwimmt auch die Wolke des Grams um die heiter
　　　　　　　　　　　glänzende Scheibe,　5
　　Schöner nur malt sich das Bild auf dem vergoldeten Duft.
Dünke der Mann sich frei! *Du bist* es, denn ewig notwendig
　　Weißt du von keiner Wahl, keiner Notwendigkeit mehr.
Was du auch gibst, stets gibst du dich ganz, du bist ewig nur
　　　　　　　　　　　　Eines,
　　Auch dein zärtester Laut ist dein harmonisches Selbst.　10
Hier ist ewige Jugend bei niemals versiegender Fülle,
　　Und mit der Blume zugleich brichst du die goldene Frucht.

Die Johanniter

Herrlich kleidet sie euch, des Kreuzes furchtbare Rüstung,
　　Wenn ihr, Löwen der Schlacht, Akkon und Rhodus
　　　　　　　　　　　　beschützt,
Durch die syrische Wüste den bangen Pilgrim geleitet
　　Und mit der Cherubim Schwert steht vor dem heiligen
　　　　　　　　　　　　Grab.
Aber ein schönerer Schmuck umgibt euch die Schürze des
　　　　　　　　　　　Wärters,　5
　　Wenn ihr, Löwen der Schlacht, Söhne des edelsten
　　　　　　　　　　　Stamms,
Dient an des Kranken Bett, dem Lechzenden Labung
　　　　　　　　　　　bereitet

Und die niedrige Pflicht christlicher Milde vollbringt.
Religion des Kreuzes, nur du verknüpftest, in *einem*
Kranze, der Demut und Kraft doppelte Palme zugleich! 10

Votivtafeln

Was der Gott mich gelehrt, was mir durchs Leben
                                        geholfen,
  Häng ich dankbar und fromm hier in dem Heiligtum auf.

Menschliches Wissen

Weil du liesest in ihr, was du selber in sie geschrieben,
  Weil du in Gruppen fürs Aug ihre Erscheinungen reihst,
Deine Schnüre gezogen auf ihrem unendlichen Felde,
  Wähnst du, es fasse dein Geist ahnend die große Natur.
So beschreibt mit Figuren der Astronome den Himmel,   5
  Daß in dem ewigen Raum leichter sich finde der Blick,
Knüpft entlegene Sonnen, durch Siriusfernen geschieden,
  Aneinander im Schwan und in den Hörnern des Stiers.
Aber versteht er darum der Sphären mystische Tänze,
  Weil ihm das Sternengewölb sein Planiglobium
                                        zeigt?   10

An einen Weltverbesserer

»Alles opfert' ich hin«, sprichst du, »der Menscheit zu
                                        helfen,
  Eitel war der Erfolg, Haß und Verfolgung der Lohn.« –
Soll ich dir sagen, Freund, wie ich mit Menschen es halte?
  Traue dem Spruche! noch nie hat mich der Führer
                                        getäuscht,
Von der Menschheit – du kannst von ihr nie groß genug
                                        denken,   5

Wie du im Busen sie trägst, prägst du in Taten sie aus.
Auch dem Menschen, der dir im engen Leben begegnet,
Reich ihm, wenn er sie mag, freundlich die helfende
Hand.
Nur für Regen und Tau und fürs Wohl der Menschen-
geschlechter
Laß du den Himmel, Freund, sorgen wie gestern so
heut.   10

Der beste Staat

»Woran erkenn ich den besten Staat?« Woran du die beste
Frau kennst! daran, mein Freund, daß man von beiden
nicht spricht.

Das Unwandelbare

»Unaufhaltsam enteilet die Zeit.« – Sie sucht das Beständge.
Sei getreu, und du legst ewige Fesseln ihr an.

Zweierlei Wirkungsarten

Wirke Gutes, du *nährst* der Menschheit göttliche Pflanze,
Bilde Schönes, du streust *Keime* der göttlichen aus.

Unterschied der Stände

Auch in der sittlichen Welt ist ein Adel; gemeine Naturen
Zahlen mit dem, was sie tun, schöne mit dem, was sie
sind.

Das Werte und Würdige

Hast du etwas, so gib es her und ich zahle, was recht ist,
Bist du etwas, o dann tauschen die Seelen wir aus.

Pflicht für jeden

Immer strebe zum Ganzen, und kannst du selber kein
Ganzes
Werden, als dienendes Glied schließ an ein Ganzes dich
an.

Die Übereinstimmung

Wahrheit suchen wir beide; du außen im Leben, ich innen
In dem Herzen, und so findet sie jeder gewiß.
Ist das Auge gesund, so begegnet es außen dem Schöpfer,
Ist es das Herz, dann gewiß spiegelt es innen die Welt.

Der Schlüssel

Willst du dich selber erkennen, so sieh, wie die andern es
treiben,
Willst du die andern verstehn, blick in dein eigenes Herz.

Die Philosophien

Welche wohl bleibt von allen den Philosophien? Ich weiß
nicht,
Aber die Philosophie, hoff ich, soll immer bestehn.

Mein Glaube

Welche Religion ich bekenne? Keine von allen,
Die du mir nennst! »Und warum keine?« Aus Religion.

Licht und Farbe

Wohne, du ewiglich Eines, dort bei dem ewiglich Einen,
Farbe, du wechselnde, komm freundlich zum Menschen
herab.

Aufgabe

Keiner sei gleich dem andern, doch gleich sei jeder dem
Höchsten.
Wie das zu machen? Es sei jeder vollendet in sich.

Das eigne Ideal

Allen gehört, was du denkst, dein eigen ist nur, was du
fühlest,
Soll er dein Eigentum sein, fühle den Gott, den du denkst.

Schöne Individualität

Einig sollst du zwar sein, doch *eines* nicht mit dem Ganzen,
Durch die Vernunft bist du eins, einig mit ihm durch das
Herz.
Stimme des Ganzen ist deine Vernunft, dein Herz bist du
selber,
Wohl dir, wenn die Vernunft immer im Herzen dir
wohnt.

Der Genius

Wiederholen zwar kann der Verstand, was da schon
gewesen,
Was die Natur gebaut, bauet er wählend ihr nach.
Über Natur hinaus baut die Vernunft, doch nur in das
Leere,
Du nur, Genius, mehrst *in* der Natur die Natur.

Sprache

Warum kann der lebendige Geist dem Geist nicht
erscheinen?
Spricht die Seele, so spricht ach! schon die *Seele* nicht
mehr.

An den Dichter

Laß die Sprache dir sein, was der Körper den Liebenden; *er*
nur
Ists, der die Wesen trennt und der die Wesen vereint.

Der Meister

Jeden anderen Meister erkennt man an dem, was er
ausspricht,
Was er weise verschweigt, zeigt mir den Meister des
Stils.

Dilettant

Weil ein Vers dir gelingt in einer gebildeten Sprache,
Die für dich dichtet und denkt, glaubst du schon Dichter
zu sein.

Majestas populi

Majestät der Menschennatur! Dich soll ich beim Haufen
Suchen? Bei wenigen nur hast du von jeher gewohnt.
Einzelne wenige zählen, die übrigen alle sind blinde
Nieten, ihr leeres Gewühl hüllet die Treffer nur ein.

An die Astronomen

Schwatzet mir nicht so viel von Nebelflecken und Sonnen,
Ist die Natur nur groß, weil sie zu zählen euch gibt?
Euer Gegenstand ist der erhabenste freilich im Raume,
Aber, Freunde, im Raum wohnt das Erhabene nicht.

Inneres und Äußeres

»Gott nur siehet das Herz.«– Drum eben, weil Gott nur das
Herz sieht,
Sorge, daß *wir* doch auch etwas Erträgliches sehn.

Freund und Feind

Teuer ist mir der Freund, doch auch den Feind kann ich
nützen,
  Zeigt mir der Freund, was ich kann, lehrt mich der Feind,
was ich soll.

Das Höchste

Suchst du das Höchste, das Größte? Die Pflanze kann es
dich lehren:
  Was sie willenlos ist, sei du es wollend – das ists!

Unsterblichkeit

Vor dem Tod erschrickst du? Du wünschest, unsterblich zu
leben?
  Leb im Ganzen! Wenn du lange dahin bist, es bleibt.

Der Skrupel

Was vor züchtigen Ohren dir laut zu sagen erlaubt sei?
  Was ein züchtiges Herz leise zu tun dir erlaubt!

Die idealische Freiheit

Aus dem Leben heraus sind der Wege zwei dir geöffnet:
  Zum Ideale führt einer, der andre zum Tod.
Siehe, daß du bei Zeiten noch frei auf dem ersten
entspringest,
  Ehe die Parze mit Zwang dich auf dem andern entführt.

Zenit und Nadir

Wo du auch wandelst im Raum, es knüpft dein Zenit und
Nadir
  An den Himmel dich an, dich an die Achse der Welt.

Wie du auch handelst in dir, es berühre den Himmel der
Wille,
Durch die Achse der Welt gehe die Richtung der Tat.

Der Gürtel

In dem Gürtel bewahrt Aphrodite der Reize Geheimnis,
Was ihr den Zauber verleiht, ist, was sie bindet, die
Scham.

Würde des Menschen

Nichts mehr davon, ich bitt euch. Zu essen gebt ihm, zu
wohnen,
Habt ihr die Blöße bedeckt, gibt sich die Würde von
selbst.

Der Genius mit der umgekehrten Fackel

Lieblich sieht er zwar aus mit seiner erloschenen Fackel,
Aber, ihr Herren, der Tod ist so ästhetisch doch nicht.

Erwartung und Erfüllung

In den Ozean schifft mit tausend Masten der Jüngling,
Still, auf gerettetem Boden treibt in den Hafen der Greis.

Menschliches Wirken

An dem Eingang der Bahn liegt die Unendlichkeit offen,
Doch mit dem engsten Kreis höret der Weiseste auf.

Der Vater

Wirke, so viel du willst, du stehest doch ewig allein da,
Bis an das All die Natur dich, die gewaltige, knüpft.

Güte und Größe

Nur zwei Tugenden gibts, o wären sie immer vereinigt,
  Immer die Güte auch groß, immer die Größe auch gut!

Philosophische Gedichte

Die Götter Griechenlands

Da ihr noch die schöne Welt regieret,
An der Freude leichtem Gängelband
Selige Geschlechter noch geführet,
Schöne Wesen aus dem Fabelland!
Ach, da euer Wonnedienst noch glänzte,   5
Wie ganz anders, anders war es da!
Da man deine Tempel noch bekränzte,
Venus Amathusia!

Da der Dichtung zauberische Hülle
Sich noch lieblich um die Wahrheit wand –   10
Durch die Schöpfung floß da Lebensfülle,
Und was nie empfinden wird, empfand.
An der Liebe Busen sie zu drücken,
Gab man höhern Adel der Natur,
Alles wies den eingeweihten Blicken,   15
Alles eines Gottes Spur.

Wo jetzt nur, wie unsre Weisen sagen,
Seelenlos ein Feuerball sich dreht,
Lenkte damals seinen goldnen Wagen
Helios in stiller Majestät.   20
Diese Höhen füllten Oreaden,
Eine Dryas lebt' in jenem Baum,
Aus den Urnen lieblicher Najaden
Sprang der Ströme Silberschaum.

Jener Lorbeer wand sich einst um Hilfe,   25
Tantals Tochter schweigt in diesem Stein,
Syrinx' Klage tönt' aus jenem Schilfe,
Philomelas Schmerz aus diesem Hain.

Jener Bach empfing Demeters Zähre,
Die sie um Persephonen geweint,   30
Und von diesem Hügel rief Cythere,
Ach umsonst! dem schönen Freund.

Zu Deukalions Geschlechte stiegen
Damals noch die Himmlischen herab,
Pyrrhas schöne Töchter zu besiegen,   35
Nahm der Leto Sohn den Hirtenstab.
Zwischen Menschen, Göttern und Heroen
Knüpfte Amor einen schönen Bund,
Sterbliche mit Göttern und Heroen
Huldigten in Amathunt.   40

Finstrer Ernst und trauriges Entsagen
War aus eurem heitern Dienst verbannt,
Glücklich sollten alle Herzen schlagen,
Denn euch war der Glückliche verwandt.
Damals war nichts heilig als das Schöne,   45
Keiner Freude schämte sich der Gott,
Wo die keusch errötende Kamöne,
Wo die Grazie gebot.

Eure Tempel lachten gleich Palästen,
Euch verherrlichte das Heldenspiel   50
An des Isthmus kronenreichen Festen,
Und die Wagen donnerten zum Ziel.
Schön geschlungne seelenvolle Tänze
Kreisten um den prangenden Altar,
Eure Schläfe schmückten Siegeskränze,   55
Kronen euer duftend Haar.

Das Evoë muntrer Thyrsusschwinger
Und der Panther prächtiges Gespann
Meldeten den großen Freudebringer,
Faun und Satyr taumeln ihm voran,   60

Um ihn springen rasende Mänaden,
Ihre Tänze loben seinen Wein,
Und des Wirtes braune Wangen laden
Lustig zu dem Becher ein.

Damals trat kein gräßliches Gerippe   65
Vor das Bett des Sterbenden. Ein Kuß
Nahm das letzte Leben von der Lippe,
Seine Fackel senkt' ein Genius.
Selbst des Orkus strenge Richterwaage
Hielt der Enkel einer Sterblichen,   70
Und des Thrakers seelenvolle Klage
Rührte die Erinnyen.

Seine Freuden traf der frohe Schatten
In Elysiens Hainen wieder an,
Treue Liebe fand den treuen Gatten   75
Und der Wagenlenker seine Bahn,
Linus' Spiel tönt die gewohnten Lieder,
In Alcestens Arme sinkt Admet,
Seinen Freund erkennt Orestes wieder,
Seine Pfeile Philoktet.   80

Höhre Preise stärkten da den Ringer
Auf der Tugend arbeitvoller Bahn,
Großer Taten herrliche Vollbringer
Klimmten zu den Seligen hinan.
Vor dem Wiederfoderer der Toten   85
Neigte sich der Götter stille Schar;
Durch die Fluten leuchtet dem Piloten
Vom Olymp das Zwillingspaar.

Schöne Welt, wo bist du? Kehre wieder,
Holdes Blütenalter der Natur!   90
Ach, nur in dem Feenland der Lieder
Lebt noch deine fabelhafte Spur.

Ausgestorben trauert das Gefilde,
Keine Gottheit zeigt sich meinem Blick,
Ach, von jenem lebenwarmen Bilde   95
Blieb der Schatten nur zurück.

Alle jene Blüten sind gefallen
Von des Nordes schauerlichem Wehn,
Einen zu bereichern unter allen,
Mußte diese Götterwelt vergehn.   100
Traurig such ich an dem Sternenbogen,
Dich, Selene, find ich dort nicht mehr,
Durch die Wälder ruf ich, durch die Wogen,
Ach, sie widerhallen leer!

Unbewußt der Freuden, die sie schenket,   105
Nie entzückt von ihrer Herrlichkeit,
Nie gewahr des Geistes, der sie lenket,
Selger nie durch meine Seligkeit,
Fühllos selbst für ihres Künstlers Ehre,
Gleich dem toten Schlag der Pendeluhr,   110
Dient sie knechtisch dem Gesetz der Schwere,
Die entgötterte Natur.

Morgen wieder neu sich zu entbinden,
Wühlt sie heute sich ihr eignes Grab,
Und an ewig gleicher Spindel winden   115
Sich von selbst die Monde auf und ab.
Müßig kehrten zu dem Dichterlande
Heim die Götter, unnütz einer Welt,
Die, entwachsen ihrem Gängelbande,
Sich durch eignes Schweben hält.   120

Ja, sie kehrten heim, und alles Schöne,
Alles Hohe nahmen sie mit fort,
Alle Farben, alle Lebenstöne,
Und uns blieb nur das entseelte Wort.

Aus der Zeitflut weggerissen, schweben   125
Sie gerettet auf des Pindus Höhn,
Was unsterblich im Gesang soll leben,
Muß im Leben untergehn.

Die Künstler

Wie schön, o Mensch, mit deinem Palmenzweige
Stehst du an des Jahrhunderts Neige,
In edler stolzer Männlichkeit,
Mit aufgeschloßnem Sinn, mit Geistesfülle,
Voll milden Ernsts, in tatenreicher Stille,   5
Der reifste Sohn der Zeit,
Frei durch Vernunft, stark durch Gesetze,
Durch Sanftmut groß, und reich durch Schätze,
Die lange Zeit dein Busen dir verschwieg,
Herr der Natur, die deine Fesseln liebet,   10
Die deine Kraft in tausend Kämpfen übet
Und prangend unter dir aus der Verwildrung stieg!

Berauscht von dem errungnen Sieg,
Verlerne nicht, die Hand zu preisen,
Die an des Lebens ödem Strand   15
Den weinenden verlaßnen Waisen,
Des wilden Zufalls Beute, fand,
Die frühe schon der künftgen Geisterwürde
Dein junges Herz im stillen zugekehrt,
Und die befleckende Begierde   20
Von deinem zarten Busen abgewehrt,
Die Gütige, die deine Jugend
In hohen Pflichten spielend unterwies,
Und das Geheimnis der erhabnen Tugend
In leichten Rätseln dich erraten ließ,   25
Die, reifer nur ihn wieder zu empfangen,

In fremde Arme ihren Liebling gab,
O falle nicht mit ausgeartetem Verlangen
Zu ihren niedern Dienerinnen ab!
Im Fleiß kann dich die Biene meistern,   30
In der Geschicklichkeit ein Wurm dein Lehrer sein,
Dein Wissen teilest du mit vorgezognen Geistern,
Die *Kunst*, o Mensch, hast du allein.

Nur durch das Morgentor des Schönen
Drangst du in der Erkenntnis Land.   35
An höhern Glanz sich zu gewöhnen,
Übt sich am Reize der Verstand.
Was bei dem Saitenklang der Musen
Mit süßem Beben dich durchdrang,
Erzog die Kraft in deinem Busen,   40
Die sich dereinst zum Weltgeist schwang.

Was erst, nachdem Jahrtausende verflossen,
Die alternde Vernunft erfand,
Lag im Symbol des Schönen und des Großen
Voraus geoffenbart dem kindischen Verstand.   45
Ihr holdes Bild hieß uns die Tugend lieben,
Ein zarter Sinn hat vor dem Laster sich gesträubt,
Eh noch ein Solon das Gesetz geschrieben,
Das matte Blüten langsam treibt.
Eh vor des Denkers Geist der kühne   50
Begriff des ewgen Raumes stand,
Wer sah hinauf zur Sternenbühne,
Der ihn nicht ahndend schon empfand?

Die, eine Glorie von Orionen
Ums Angesicht, in hehrer Majestät,   55
Nur angeschaut von reineren Dämonen,
Verzehrend über Sternen geht,
Geflohn auf ihrem Sonnenthrone,
Die furchtbar herrliche Urania,

Mit abgelegter Feuerkrone 60
Steht sie – als *Schönheit* vor uns da.
Der Anmut Gürtel umgewunden,
Wird sie zum Kind, daß Kinder sie verstehn:
Was wir als Schönheit hier empfunden,
Wird einst als *Wahrheit* uns entgegengehn. 65

Als der Erschaffende von seinem Angesichte
Den Menschen in die Sterblichkeit verwies
Und eine späte Wiederkehr zum Lichte
Auf schwerem Sinnenpfad ihn finden hieß,
Als alle Himmlischen ihr Antlitz von ihm wandten, 70
Schloß sie, die Menschliche, allein
Mit dem verlassenen Verbannten
Großmütig in die Sterblichkeit sich ein.
Hier schwebt sie, mit gesenktem Fluge,
Um ihren Liebling, nah am Sinnenland, 75
Und malt mit lieblichem Betruge
Elysium auf seine Kerkerwand.

Als in den weichen Armen dieser Amme
Die zarte Menschheit noch geruht,
Da schürte heilge Mordsucht keine Flamme, 80
Da rauchte kein unschuldig Blut.
Das Herz, das sie an sanften Banden lenket,
Verschmäht der Pflichten knechtisches Geleit;
Ihr Lichtpfad, schöner nur geschlungen, senket
Sich in die Sonnenbahn der Sittlichkeit. 85
Die ihrem keuschen Dienste leben,
Versucht kein niedrer Trieb, bleicht kein Geschick;
Wie unter heilige Gewalt gegeben
Empfangen sie das reine Geisterleben,
Der Freiheit süßes Recht, zurück. 90

Glückselige, die sie – aus Millionen
Die reinsten – ihrem Dienst geweiht,

In deren Brust sie würdigte zu thronen,
Durch deren Mund die Mächtige gebeut,
Die sie auf ewig flammenden Altären   95
Erkor, das heilge Feuer ihr zu nähren,
Vor deren Aug allein sie hüllenlos erscheint,
Die sie in sanftem Bund um sich vereint!
Freut euch der ehrenvollen Stufe,
Worauf die hohe Ordnung euch gestellt: 100
In die erhabne Geisterwelt
Wart ihr der Menschheit erste Stufe.

Eh ihr das Gleichmaß in die Welt gebracht,
Dem alle Wesen freudig dienen –
Ein unermeßner Bau, im schwarzen Flor der Nacht   105
Nächst um ihn her mit mattem Strahle nur beschienen,
Ein streitendes Gestaltenheer,
Die seinen Sinn in Sklavenbanden hielten
Und ungesellig, rauh wie er,
Mit tausend Kräften auf ihn zielten,   110
– So stand die Schöpfung vor dem Wilden.
Durch der Begierde blinde Fessel nur
An die Erscheinungen gebunden,
Entfloh ihm, ungenossen, unempfunden,
Die schöne Seele der Natur.   115

Und wie sie fliehend jetzt vorüber fuhr,
Ergriffet ihr die nachbarlichen Schatten
Mit zartem Sinn, mit stiller Hand,
Und lernet in harmonschem Band
Gesellig sie zusammengatten.   120
Leichtschwebend fühlte sich der Blick
Vom schlanken Wuchs der Zeder aufgezogen;
Gefällig strahlte der Kristall der Wogen
Die hüpfende Gestalt zurück.
Wie konntet ihr des schönen Winks verfehlen,   125
Womit euch die Natur hilfreich entgegen kam?

Die Kunst, den Schatten ihr nachahmend abzustehlen,
Wies euch das Bild, das auf der Woge schwamm.
Von ihrem Wesen abgeschieden,
Ihr eignes liebliches Phantom,   130
Warf sie sich in den Silberstrom,
Sich ihrem Räuber anzubieten.
Die schöne Bildkraft ward in eurem Busen wach.
Zu edel schon, nicht müßig zu empfangen,
Schuft ihr im Sand – im Ton den holden Schatten nach,   135
Im Umriß ward sein Dasein aufgefangen.
Lebendig regte sich des Wirkens süße Lust –
Die erste Schöpfung trat aus eurer Brust.

Von der Betrachtung angehalten,
Von eurem Späheraug umstrickt,   140
Verrieten die vertraulichen Gestalten
Den Talisman, wodurch sie euch entzückt.
Die wunderwirkenden Gesetze,
Des Reizes ausgeforschte Schätze
Verknüpfte der erfindende Verstand   145
In leichtem Bund in Werken eurer Hand.
Der Obeliske stieg, die Pyramide,
Die Herme stand, die Säule sprang empor,
Des Waldes Melodie floß aus dem Haberrohr,
Und Siegestaten lebten in dem Liede.   150

Die Auswahl einer Blumenflur,
Mit weiser Wahl in einen Strauß gebunden,
So trat die erste Kunst aus der Natur;
Jetzt wurden *Sträuße* schon in einen *Kranz* gewunden,
Und eine zweite höhre Kunst erstand   155
Aus Schöpfungen der Menschenhand.
Das Kind der Schönheit, sich allein genug,
Vollendet schon aus eurer Hand gegangen,
Verliert die Krone, die es trug,
Sobald es Wirklichkeit empfangen.   160

Die Säule muß, dem Gleichmaß untertan,
An ihre Schwestern nachbarlich sich schließen,
Der Held im Heldenheer zerfließen,
Des Mäoniden Harfe stimmt voran.

Bald drängten sich die staunenden Barbaren   165
Zu diesen neuen Schöpfungen heran.
Seht, riefen die erfreuten Scharen,
Seht an, das hat der Mensch getan!
In lustigen, geselligeren Paaren
Riß sie des Sängers Leier nach,   170
Der von Titanen sang und Riesenschlachten,
Und Löwentötern, die, so lang der Sänger sprach,
Aus seinen Hörern Helden machten.
Zum erstenmal genießt der *Geist*,
Erquickt von ruhigeren Freuden,   175
Die aus der Ferne nur ihn weiden,
Die seine Gier nicht in sein Wesen reißt,
Die im Genusse nicht verscheiden.

Jetzt wand sich von dem Sinnenschlafe
Die freie schöne Seele los,   180
Durch euch entfesselt, sprang der Sklave
Der Sorge in der Freude Schoß.
Jetzt fiel der Tierheit dumpfe Schranke,
Und Menschheit trat auf die entwölkte Stirn,
Und der erhabne Fremdling, der Gedanke   185
Sprang aus dem staunenden Gehirn.
Jetzt *stand* der Mensch, und wies den Sternen
Das königliche Angesicht,
Schon dankte in erhabnen Fernen
Sein sprechend Aug dem Sonnenlicht.   190
Das Lächeln blühte auf der Wange,
Der Stimme seelenvolles Spiel
Entfaltete sich zum Gesange,
Im feuchten Auge schwamm Gefühl,

Und Scherz mit Huld in anmutsvollem Bunde   195
Entquollen dem beseelten Munde.

Begraben in des Wurmes Triebe,
Umschlungen von des Sinnes Lust,
Erkanntet ihr in seiner Brust
Den edlen Keim der Geisterliebe.   200
Daß von des Sinnes niederm Triebe
Der Liebe beßrer Keim sich schied,
Dankt er dem ersten Hirtenlied.
Geadelt zur Gedankenwürde,
Floß die verschämtere Begierde   205
Melodisch aus des Sängers Mund.
Sanft glühten die betauten Wangen,
Das überlebende Verlangen
Verkündigte der Seelen Bund.

Der Weisen Weisestes, der Milden Milde,   210
Der Starken Kraft, der Edeln Grazie,
Vermähltet ihr in *einem* Bilde
Und stelltet es in eine Glorie.
Der Mensch erbebte vor dem Unbekannten,
Er liebte seinen Widerschein;   215
Und herrliche Heroen brannten,
Dem großen Wesen gleich zu sein.
Den ersten Klang vom Urbild alles Schönen,
Ihr ließet ihn in der Natur ertönen.

Der Leidenschaften wilden Drang   220
Des Glückes regellose Spiele,
Der Pflichten und Instinkte Zwang
Stellt ihr mit prüfendem Gefühle,
Mit strengem Richtscheit nach dem Ziele.
Was die Natur auf ihrem großen Gange   225
In weiten Fernen auseinander zieht,
Wird auf dem Schauplatz, im Gesange
Der Ordnung leicht gefaßtes Glied.

Vom Eumenidenchor geschrecket,
Zieht sich der Mord, auch nie entdecket,   230
Das Los des Todes aus dem Lied.
Lang, eh die Weisen ihren Ausspruch wagen,
Löst eine Ilias des Schicksals Rätselfragen
Der jugendlichen Vorwelt auf;
Still wandelte von Thespis' Wagen   235
Die Vorsicht in den Weltenlauf.

Doch in den großen Weltenlauf
Ward euer Ebenmaß zu früh getragen.
Als des Geschickes dunkle Hand,
Was sie vor eurem Auge schnürte,   240
Vor eurem Aug nicht auseinanderband,
Das Leben in die Tiefe schwand,
Eh es den schönen Kreis vollführte –
Da führtet ihr aus kühner Eigenmacht
Den Bogen weiter durch der Zukunft Nacht;   245
Da stürzet ihr euch ohne Beben
In des Avernus schwarzen Ozean
Und trafet das entflohne Leben
Jenseits der Urne wieder an:
Da zeigte sich mit umgestürztem Lichte,   250
An Kastor angelehnt, ein blühend Polluxbild:
Der Schatten in des Mondes Angesichte,
Eh sich der schöne Silberkreis erfüllt.

Doch höher stets, zu immer höhern Höhen
Schwang sich der schaffende Genie.   255
Schon sieht man Schöpfungen aus Schöpfungen
                                                erstehen,
Aus Harmonien Harmonie.
Was hier allein das trunkne Aug entzückt,
Dient unterwürfig dort der höhern Schöne;
Der Reiz, der diese Nymphe schmückt,   260
Schmilzt sanft in eine göttliche Athene:

Die Kraft, die in des Ringers Muskel schwillt,
Muß in des Gottes Schönheit lieblich schweigen;
Das Staunen seiner Zeit, das stolze Jovisbild,
Im Tempel zu Olympia sich neigen. 265

Die Welt, verwandelt durch den Fleiß,
Das Menschenherz, bewegt von neuen Trieben,
Die sich in heißen Kämpfen üben,
Erweitern euren Schöpfungskreis.
Der fortgeschrittne Mensch trägt auf erhobnen
                                        Schwingen 270
Dankbar die Kunst mit sich empor,
Und neue Schönheitswelten springen
Aus der bereicherten Natur hervor.
Des Wissens Schranken gehen auf,
Der Geist, in euren leichten Siegen 275
Geübt, mit schnell gezeitigtem Vergnügen
Ein künstlich All von Reizen zu durcheilen,
Stellt der Natur entlegenere Säulen,
Ereilet sie auf ihrem dunkeln Lauf.
Jetzt wägt er sie mit menschlichen Gewichten, 280
Mißt sie mit *Maßen*, die sie ihm geliehn;
Verständlicher in seiner Schönheit Pflichten,
Muß sie an seinem Aug vorüberziehn.
In selbstgefällger jugendlicher Freude
Leiht er den Sphären seine Harmonie, 285
Und preiset er das Weltgebäude,
So prangt es durch die Symmetrie.

In allem, was ihn jetzt umlebet,
Spricht ihn das holde Gleichmaß an.
Der Schönheit goldner Gürtel webet 290
Sich mild in seine Lebensbahn;
Die selige Vollendung schwebet
In euren Werken siegend ihm voran.
Wohin die laute Freude eilet,

Wohin der stille Kummer flieht,   295
Wo die Betrachtung denkend weilet,
Wo er des Elends Tränen sieht,
Wo tausend Schrecken auf ihn zielen,
Folgt ihm ein Harmonienbach,
Sieht er die Huldgöttinnen spielen   300
Und ringt in still verfeinerten Gefühlen
Der lieblichen Begleitung nach.
Sanft, wie des Reizes Linien sich winden,
Wie die Erscheinungen um ihn
In weichem Umriß ineinander schwinden,   305
Flieht seines Lebens leichter Hauch dahin.
Sein Geist zerrinnt im Harmonienmeere,
Das seine Sinne wollustreich umfließt,
Und der hinschmelzende Gedanke schließt
Sich still an die allgegenwärtige Cythere.   310
Mit dem Geschick in hoher Einigkeit,
Gelassen hingestützt auf Grazien und Musen,
Empfängt er das Geschoß, das ihn bedräut,
Mit freundlich dargebotnem Busen
Vom sanften Bogen der Notwendigkeit.   315

Vertraute Lieblinge der selgen Harmonie,
Erfreuende Begleiter durch das Leben,
Das Edelste, das Teuerste, was sie,
Die Leben gab, zum Leben uns gegeben!
Daß der entjochte Mensch jetzt seine Pflichten *denkt*,   320
Die Fessel liebt, die ihn lenkt,
Kein Zufall mehr mit ehrnem Zepter ihm gebeut,
Dies dankt euch – eure Ewigkeit,
Und ein erhabner Lohn in eurem Herzen.
Daß um den Kelch, worin uns Freiheit rinnt,   325
Der Freude Götter lustig scherzen,
Der holde Traum sich lieblich spinnt,
Dafür seid liebevoll umfangen!

Dem prangenden, dem heitern Geist,
Der die Notwendigkeit mit Grazie umzogen,   330
Der seinen Äther, seinen Sternenbogen
Mit Anmut uns bedienen heißt,
Der, wo er schreckt, noch durch Erhabenheit entzücket,
Und zum Verheeren selbst sich schmücket,
Dem großen Künstler ahmt ihr nach.   335
Wie auf dem spiegelhellen Bach
Die bunten Ufer tanzend schweben,
Das Abendrot, das Blütenfeld,
So schimmert auf dem dürftgen Leben
Der Dichtung muntre Schattenwelt.   340
Ihr führet uns im Brautgewande
Die fürchterliche Unbekannte,
Die unerweichte Parze vor.
Wie eure Urnen die Gebeine,
Deckt ihr mit holdem Zauberscheine   345
Der Sorgen schauervollen Chor.
Jahrtausende hab ich durcheilet,
Der Vorwelt unabsehlich Reich:
Wie lacht die Menschheit, wo ihr weilet,
Wie traurig liegt sie hinter euch!   350

Die einst mit flüchtigem Gefieder
Voll Kraft aus euren Schöpferhänden stieg,
In eurem Arm fand sie sich wieder,
Als durch der Zeiten stillen Sieg
Des Lebens Blüte von der Wange,   355
Die Stärke von den Gliedern wich
Und traurig, mit entnervtem Gange,
Der Greis an seinem Stabe schlich.
Da reichtet ihr aus frischer Quelle
Dem Lechzenden die Lebenswelle.   360
Zweimal verjüngte sich die Zeit,
Zweimal von Samen, die ihr ausgestreut.

Vertrieben von Barbarenheeren,
Entrisset ihr den letzten Opferbrand
Des Orients entheiligten Altären   360
Und brachtet ihn dem Abendland.
Da stieg der schöne Flüchtling aus dem Osten,
Der junge Tag, im Westen neu empor,
Und auf Hesperiens Gefilden sproßten
Verjüngte Blüten Joniens hervor.   370
Die schönere Natur warf in die Seelen
Sanft spiegelnd einen schönen Widerschein,
Und prangend zog in die geschmückten Seelen
Des Lichtes große Göttin ein.
Da sah man Millionen Ketten fallen,   375
Und über Sklaven sprach jetzt Menschenrecht,
Wie Brüder friedlich miteinander wallen,
So mild erwuchs das jüngere Geschlecht.
Mit innrer hoher Freudenfülle
Genießt ihr das gegebne Glück   380
Und tretet in der Demut Hülle
Mit schweigendem Verdienst zurück.

Wenn auf des Denkens freigegebnen Bahnen
Der Forscher jetzt mit kühnem Glücke schweift
Und, trunken von siegrufenden Päanen,   385
Mit rascher Hand schon nach der Krone greift;
Wenn er mit niederm Söldnerslohne
Den edeln Führer zu entlassen glaubt,
Und neben dem geträumten Throne
Der Kunst den ersten Sklavenplatz erlaubt: 390
Verzeiht ihm – der Vollendung Krone
Schwebt glänzend über eurem Haupt.
Mit euch, des Frühlings erster Pflanze,
Begann die seelenbildende Natur,
Mit euch, dem freudgen Erntekranze,   395
Schließt die vollendende Natur.

Die von dem Ton, dem Stein bescheiden aufgestiegen,
Die schöpferische Kunst, umschließt mit stillen Siegen
Des Geistes unermeßnes Reich;
Was in des Wissens Land Entdecker nur ersiegen,   400
Entdecken sie, ersiegen sie für euch.
Der Schätze, die der Denker aufgehäufet,
Wird er in euren Armen erst sich freun,
Wenn seine Wissenschaft, der Schönheit zugereifet,
Zum Kunstwerk wird geadelt sein –   405
Wenn er auf einen Hügel mit euch steiget,
Und seinem Auge sich, in mildem Abendschein,
Das malerische Tal – auf einmal zeiget.

Je reicher ihr den schnellen Blick vergnüget,
Je höhre, schönre Ordnungen der Geist   410
In *einem* Zauberbund durchflieget,
In *einem* schwelgenden Genuß umkreist;
Je weiter sich Gedanken und Gefühle
Dem üppigeren Harmonienspiele,
Dem reichern Strom der Schönheit aufgetan –   415
Je schönre Glieder aus dem Weltenplan,
Die jetzt verstümmelt seine Schöpfung schänden,
Sieht er die hohen Formen dann vollenden,
Je schönre Rätsel treten aus der Nacht,
Je reicher wird die Welt, die *er* umschließet,   420
Je breiter strömt das Meer, mit dem er fließet,
Je schwächer wird des Schicksals blinde Macht,
Je höher streben seine Triebe,
Je kleiner wird er selbst, je größer seine Liebe.

So führt ihn, in verborgnem Lauf,   425
Durch immer reinre Formen, reinre Töne,
Durch immer höhre Höhn und immer schönre Schöne
Der Dichtung Blumenleiter still hinauf –
Zuletzt, am reifen Ziel der Zeiten,
Noch eine glückliche Begeisterung,   430

Des jüngsten Menschenalters Dichterschwung,
Und – in der *Wahrheit* Arme wird er gleiten.

Sie selbst, die sanfte Cypria,
Umleuchtet von der Feuerkrone
Steht dann vor ihrem mündgen Sohne   435
Entschleiert – als Urania;
So schneller nur von ihm erhaschet,
Je *schöner* er von ihr geflohn!
So süß, so selig überraschet
Stand einst Ulyssens edler Sohn,   440
Da seiner Jugend himmlischer Gefährte
Zu Jovis Tochter sich verklärte.

Der Menschheit Würde ist in eure Hand gegeben,
Bewahret sie!
Sie sinkt mit euch! Mit euch wird sie sich heben!   445
Der Dichtung heilige Magie
Dient einem weisen Weltenplane,
Still lenke sie zum Ozeane
Der großen Harmonie!

Von ihrer Zeit verstoßen, flüchte   450
Die ernste Wahrheit zum Gedichte
Und finde Schutz in der Kamönen Chor.
In ihres Glanzes höchster Fülle,
Furchtbarer in des Reizes Hülle,
Erstehe sie in dem Gesange   455
Und räche sich mit Siegesklange
An des Verfolgers feigem Ohr.

Der freisten Mutter freie Söhne,
Schwingt euch mit festem Angesicht
Zum Strahlensitz der höchsten Schöne,   460
Um andre Kronen buhlet nicht.

Die Schwester, die euch hier verschwunden,
Holt ihr im Schoß der Mutter ein;
Was schöne Seelen schön empfunden,
Muß trefflich und vollkommen sein.   465
Erhebet euch mit kühnem Flügel
Hoch über euren Zeitenlauf;
Fern dämmre schon in euerm Spiegel
Das kommende Jahrhundert auf.
Auf tausendfach verschlungnen Wegen   470
Der reichen Mannigfaltigkeit
Kommt dann umarmend euch entgegen
Am Thron der hohen Einigkeit.
Wie sich in sieben milden Strahlen
Der weiße Schimmer lieblich bricht,   475
Wie sieben Regenbogenstrahlen
Zerrinnen in das weiße Licht:
So spielt in tausendfacher Klarheit
Bezaubernd um den trunknen Blick,
So fließt in *einen* Bund der Wahrheit,   480
In *einen* Strom des Lichts zurück!

Das Ideal und das Leben

Ewigklar und spiegelrein und eben
Fließt das zephirleichte Leben
Im Olymp den Seligen dahin.
Monde wechseln und Geschlechter fliehen,
Ihrer Götterjugend Rosen blühen   5
Wandellos im ewigen Ruin.
Zwischen Sinnenglück und Seelenfrieden
Bleibt dem Menschen nur die bange Wahl;
Auf der Stirn des hohen Uraniden
Leuchtet ihr vermählter Strahl.   10

Wollt ihr schon auf Erden Göttern gleichen,
Frei sein in des Todes Reichen,
Brechet nicht von seines Gartens Frucht.
An dem Scheine mag der Blick sich weiden,
Des Genusses wandelbare Freuden   15
Rächet schleunig der Begierde Flucht.
Selbst der Styx, der neunfach sie umwindet,
Wehrt die Rückkehr Ceres' Tochter nicht,
Nach dem Apfel greift sie, und es bindet
Ewig sie des Orkus Pflicht.   20

Nur der Körper eignet jenen Mächten,
Die das dunkle Schicksal flechten,
Aber frei von jeder Zeitgewalt,
Die Gespielin seliger Naturen
Wandelt oben in des Lichtes Fluren,   25
Göttlich unter Göttern, die *Gestalt*.
Wollt ihr hoch auf ihren Flügeln schweben,
Werft die Angst des Irdischen von euch.
Fliehet aus dem engen, dumpfen Leben
In des Ideales Reich!   30

Jugendlich, von allen Erdenmalen
Frei, in der Vollendung Strahlen
Schwebet hier der Menschheit Götterbild,
Wie des Lebens schweigende Phantome
Glänzend wandeln an dem stygschen Strome,   35
Wie sie stand im himmlischen Gefild,
Ehe noch zum traurgen Sarkophage
Die Unsterbliche heruntersteig.
Wenn im Leben noch des Kampfes Waage
Schwankt, erscheinet hier der Sieg.   40

Nicht vom Kampf die Glieder zu entstricken,
Den Erschöpften zu erquicken,
Wehet hier des Sieges duftger Kranz.

Mächtig, selbst wenn eure Sehnen ruhten,
Reißt das Leben euch in seine Fluten,   45
Euch die Zeit in ihren Wirbeltanz.
Aber sinkt des Mutes kühner Flügel
Bei der Schranken peinlichem Gefühl,
Dann erblicket von der Schönheit Hügel
Freudig das erflogne Ziel.   50

Wenn es gilt, zu herrschen und zu schirmen,
Kämpfer gegen Kämpfer stürmen
Auf des Glückes auf des Ruhmes Bahn,
Da mag Kühnheit sich an Kraft zerschlagen,
Und mit krachendem Getös die Wagen   55
Sich vermengen auf bestäubtem Plan.
Mut allein kann hier den Dank erringen,
Der am Ziel des Hippodromes winkt,
Nur der Starke wird das Schicksal zwingen,
Wenn der Schwächling untersinkt.   60

Aber der, von Klippen eingeschlossen,
Wild und schäumend sich ergossen,
Sanft und eben rinnt des Lebens Fluß
Durch der Schönheit stille Schattenlande,
Und auf seiner Wellen Silberrande   65
Malt Aurora sich und Hesperus.
Aufgelöst in zarter Wechselliebe,
In der Anmut freiem Bund vereint,
Ruhen hier die ausgesöhnten Triebe,
Und verschwunden ist der Feind.   70

Wenn, das Tote bildend zu beseelen,
Mit dem Stoff sich zu vermählen,
Tatenvoll der Genius entbrennt,
Da, da spanne sich des Fleißes Nerve,
Und beharrlich ringend unterwerfe   75
Der Gedanke sich das Element.

Nur dem Ernst, den keine Mühe bleichet,
Rauscht der Wahrheit tief versteckter Born,
Nur des Meißels schwerem Schlag erweichet
Sich des Marmors sprödes Korn.   80

Aber dringt bis in der Schönheit Sphäre,
Und im Staube bleibt die Schwere
Mit dem Stoff, den sie beherrscht, zurück.
Nicht der Masse qualvoll abgerungen,
Schlank und leicht, wie aus dem Nichts gesprungen,   85
Steht das Bild vor dem entzückten Blick.
Alle Zweifel, alle Kämpfe schweigen
In des Sieges hoher Sicherheit,
Ausgestoßen hat es jeden Zeugen
Menschlicher Bedürftigkeit.   90

Wenn ihr in der Menschheit trauger Blöße
Steht vor des Gesetzes Größe,
Wenn dem Heiligen die Schuld sich naht,
Da erblasse vor der Wahrheit Strahle
Eure Tugend, vor dem Ideale   95
Fliehe mutlos die beschämte Tat.
Kein Erschaffner hat dies Ziel erflogen,
Über diesen grauenvollen Schlund
Trägt kein Nachen, keiner Brücke Bogen,
Und kein Anker findet Grund.   100

Aber flüchtet aus der Sinne Schranken
In die Freiheit der Gedanken,
Und die Furchterscheinung ist entflohn,
Und der ewge Abgrund wird sich füllen;
Nehmt die Gottheit auf in euren Willen,   105
Und sie steigt von ihrem Weltenthron.
Des Gesetzes strenge Fessel bindet
Nur den Sklavensinn, der es verschmäht,
Mit des Menschen Widerstand verschwindet
Auch des Gottes Majestät.   110

Wenn der Menschheit Leiden euch umfangen,
Wenn Laokoon der Schlangen
Sich erwehrt mit namenlosem Schmerz,
Da empöre sich der Mensch! Es schlage
An des Himmels Wölbung seine Klage   115
Und zerreiße euer fühlend Herz!
Der Natur furchtbare Stimme siege,
Und der Freude Wange werde bleich,
Und der heilgen Sympathie erliege
Das Unsterbliche in euch!   120

Aber in den heitern Regionen,
Wo die reinen Formen wohnen,
Rauscht des Jammers trüber Sturm nicht mehr.
Hier darf Schmerz die Seele nicht durchschneiden,
Keine Träne fließt hier mehr dem Leiden,   125
Nur des Geistes tapfrer Gegenwehr.
Lieblich, wie der Iris Farbenfeuer
Auf der Donnerwolke duftgem Tau,
Schimmert durch der Wehmut düstern Schleier
Hier der Ruhe heitres Blau.   130

Tief erniedrigt zu des Feigen Knechte,
Ging in ewigem Gefechte
Einst Alcid des Lebens schwere Bahn,
Rang mit Hydern und umarmt' den Leuen,
Stürzte sich, die Freunde zu befreien,   135
Lebend in des Totenschiffers Kahn.
Alle Plagen, alle Erdenlasten
Wälzt der unversöhnten Göttin List
Auf die willgen Schultern des Verhaßten,
Bis sein Lauf geendigt ist –   140

Bis der Gott, des Irdischen entkleidet,
Flammend sich vom Menschen scheidet
Und des Äthers leichte Lüfte trinkt.

Froh des neuen, ungewohnten Schwebens,
Fließt er aufwärts, und des Erdenlebens   145
Schweres Traumbild sinkt und sinkt und sinkt.
Des Olympus Harmonien empfangen
Den Verklärten in Kronions Saal,
Und die Göttin mit den Rosenwangen
Reicht ihm lächelnd den Pokal.   150

Die Teilung der Erde

»Nehmt hin die Welt!« rief Zeus von seinen Höhen
    Den Menschen zu. »Nehmt, sie soll euer sein!
Euch schenk ich sie zum Erb und ewgen Lehen,
    Doch teilt euch brüderlich darein.«

Da eilt, was Hände hat, sich einzurichten,   5
    Es regte sich geschäftig jung und alt.
Der Ackermann griff nach des Feldes Früchten,
    Der Junker birschte durch den Wald.

Der Kaufmann nimmt, was seine Speicher fassen,
    Der Abt wählt sich den edeln Firnewein,   10
Der König sperrt die Brücken und die Straßen
    Und sprach: »Der Zehente ist mein.«

Ganz spät, nachdem die Teilung längst geschehen,
    Naht der Poet, er kam aus weiter Fern;
Ach! da war überall nichts mehr zu sehen,   15
    Und alles hatte seinen Herrn!

»Weh mir! so soll denn ich allein von allen
    Vergessen sein, ich, dein getreuster Sohn?«
So ließ er laut der Klage Ruf erschallen
    Und warf sich hin vor Jovis Thron.   20

»Wenn du im Land der Träume dich verweilet«,
  Versetzt der Gott, »so hadre nicht mit mir.
Wo warst du denn, als man die Welt geteilet?« –
»Ich war«, sprach der Poet, »bei dir.

Mein Auge hing an deinem Angesichte,   25
  An deines Himmels Harmonie mein Ohr –
Verzeih dem Geiste, der, von deinem Lichte
  Berauscht, das Irdische verlor!«

»Was tun?« spricht Zeus. »Die Welt ist weggegeben,
  Der Herbst, die Jagd, der Markt ist nicht mehr mein.   30
Willst du in meinem Himmel mit mir leben:
  So oft du kommst, er soll dir offen sein.«

Würde der Frauen

Ehret die Frauen! sie flechten und weben
Himmlische Rosen ins irdische Leben,
Flechten der Liebe beglückendes Band,
Und in der Grazie züchtigem Schleier
Nähren sie wachsam das ewige Feuer   5
Schöner Gefühle mit heiliger Hand.

  Ewig aus der Wahrheit Schranken
  Schweift des Mannes wilde Kraft,
  Unstet treiben die Gedanken
  Auf dem Meer der Leidenschaft.   10
  Gierig greift er in die Ferne,
  Nimmer wird sein Herz gestillt,
  Rastlos durch entlegne Sterne
  Jagt er seines Traumes Bild.

Aber mit zauberisch fesselndem Blicke   15
Winken die Frauen den Flüchtling zurücke,

Warnend zurück in der Gegenwart Spur.
In der Mutter bescheidener Hütte
Sind sie geblieben mit schamhafter Sitte,
Treue Töchter der frommen Natur.   20

    Feindlich ist des Mannes Streben,
    Mit zermalmender Gewalt
    Geht der wilde durch das Leben,
    Ohne Rast und Aufenthalt.
    Was er schuf, zerstört er wieder,   25
    Nimmer ruht der Wünsche Streit,
    Nimmer, wie das Haupt der Hyder
    Ewig fällt und sich erneut.

Aber, zufrieden mit stillerem Ruhme,
Brechen die Frauen des Augenblicks Blume,   30
Nähren sie sorgsam mit liebendem Fleiß,
Freier in ihrem gebundenen Wirken,
Reicher als er in des Wissens Bezirken
Und in der Dichtung unendlichem Kreis.

    Streng und stolz sich selbst genügend,   35
    Kennt des Mannes kalte Brust,
    Herzlich an ein Herz sich schmiegend,
    Nicht der Liebe Götterlust,
    Kennet nicht den Tausch der Seelen,
    Nicht in Tränen schmilzt er hin,   40
    Selbst des Lebens Kämpfe stählen
    Härter seinen harten Sinn.

Aber, wie leise vom Zephir erschüttert
Schnell die äolische Harfe erzittert,
Also die fühlende Seele der Frau.   45
Zärtlich geängstigt vom Bilde der Qualen,
Wallet der liebende Busen, es strahlen
Perlend die Augen von himmlischem Tau.

In der Männer Herrschgebiete
Gilt der Stärke trotzig Recht,   50
Mit dem Schwert beweist der Scythe,
Und der Perser wird zum Knecht.
Es befehden sich im Grimme
Die Begierden wild und roh,
Und der Eris rauhe Stimme   55
Waltet, wo die Charis floh.

Aber mit sanft überredender Bitte
Führen die Frauen den Zepter der Sitte,
Löschen die Zwietracht, die tobend entglüht,
Lehren die Kräfte, die feindlich sich hassen,   60
Sich in der lieblichen Form zu umfassen,
Und vereinen, was ewig sich flieht.

Die Macht des Gesanges

Ein Regenstrom aus Felsenrissen,
Er kommt mit Donners Ungestüm,
Bergtrümmer folgen seinen Güssen,
Und Eichen stürzen unter ihm;
Erstaunt, mit wollustvollem Grausen,   5
Hört ihn der Wanderer und lauscht,
Er hört die Flut vom Felsen brausen,
Doch weiß er nicht, woher sie rauscht:
So strömen des Gesanges Wellen
Hervor aus nie entdeckten Quellen.   10

Verbündet mit den furchtbarn Wesen,
Die still des Lebens Faden drehn,
Wer kann des Sängers Zauber lösen,
Wer seinen Tönen widerstehn?
Wie mit dem Stab des Götterboten   15
Beherrscht er das bewegte Herz,

Er taucht es in das Reich der Toten,
Er hebt es staunend himmelwärts
Und wiegt es zwischen Ernst und Spiele
Auf schwanker Leiter der Gefühle.   20

Wie wenn auf einmal in die Kreise
Der Freude, mit Gigantenschritt,
Geheimnisvoll nach Geisterweise
Ein ungeheures Schicksal tritt,
Da beugt sich jede Erdengröße   25
Dem Fremdling aus der andern Welt,
Des Jubels nichtiges Getöse
Verstummt, und jede Larve fällt,
Und vor der Wahrheit mächtgem Siege
Verschwindet jedes Werk der Lüge.   30

So rafft von jeder eiteln Bürde,
Wenn des Gesanges Ruf erschallt,
Der Mensch sich auf zur Geisterwürde
Und tritt in heilige Gewalt;
Den hohen Göttern ist er eigen,   35
Ihm darf nichts Irdisches sich nahn,
Und jede andre Macht muß schweigen,
Und kein Verhängnis fällt ihn an,
Es schwinden jedes Kummers Falten,
Solang des Liedes Zauber walten.   40

Und wie nach hoffnungslosem Sehnen,
Nach langer Trennung bitterm Schmerz,
Ein Kind mit heißen Reuetränen
Sich stürzt an seiner Mutter Herz,
So führt zu seiner Jugend Hütten,   45
Zu seiner Unschuld reinem Glück,
Vom fernen Ausland fremder Sitten
Den Flüchtling der Gesang zurück,
In der Natur getreuen Armen
Von kalten Regeln zu erwarmen.   50

Das Mädchen aus der Fremde

In einem Tal bei armen Hirten
Erschien mit jedem jungen Jahr,
Sobald die ersten Lerchen schwirrten,
Ein Mädchen, schön und wunderbar.

Sie war nicht in dem Tal geboren,   5
Man wußte nicht, woher sie kam,
Und schnell war ihre Spur verloren,
Sobald das Mädchen Abschied nahm.

Beseligend war ihre Nähe,
Und alle Herzen wurden weit,   10
Doch eine Würde, eine Höhe
Entfernte die Vertraulichkeit.

Sie brachte Blumen mit und Früchte,
Gereift auf einer andern Flur,
In einem andern Sonnenlichte,   15
In einer glücklichern Natur.

Und teilte jedem eine Gabe,
Dem Früchte, jenem Blumen aus,
Der Jüngling und der Greis am Stabe,
Ein jeder ging beschenkt nach Haus.   20

Willkommen waren alle Gäste,
Doch nahte sich ein liebend Paar,
Dem reichte sie der Gaben beste,
Der Blumen allerschönste dar.

Das verschleierte Bild zu Sais

Ein Jüngling, den des Wissens heißer Durst
Nach Sais in Ägypten trieb, der Priester
Geheime Weisheit zu erlernen, hatte
Schon manchen Grad mit schnellem Geist durcheilt,
Stets riß ihn seine Forschbegierde weiter,   5
Und kaum besänftigte der Hierophant
Den ungeduldig Strebenden. »Was hab ich,
Wenn ich nicht alles habe?« sprach der Jüngling.
»Gibts etwa hier ein Weniger und Mehr?
Ist deine Wahrheit wie der Sinne Glück   10
Nur eine Summe, die man größer, kleiner
Besitzen kann und immer doch besitzt?
Ist sie nicht eine einzge, ungeteilte?
Nimm einen Ton aus einer Harmonie,
Nimm eine Farbe aus dem Regenbogen,   15
Und alles, was dir bleibt, ist nichts, solang
Das schöne All der Töne fehlt und Farben.«

Indem sie einst so sprachen, standen sie
In einer einsamen Rotonde still,
Wo ein verschleiert Bild von Riesengröße   20
Dem Jüngling in die Augen fiel. Verwundert
Blickt er den Führer an und spricht: »Was ists,
Das hinter diesem Schleier sich verbirgt?«
»Die Wahrheit«, ist die Antwort. — »Wie?« ruft jener,
»Nach Wahrheit streb ich ja allein, und diese   25
Gerade ist es, die man mir verhüllt?«

»Das mache mit der Gottheit aus«, versetzt
Der Hierophant. »Kein Sterblicher, sagt sie,
Rückt diesen Schleier, bis ich selbst ihn hebe.
Und wer mit ungeweihter, schuldger Hand   30
Den heiligen, verbotnen früher hebt,
Der, spricht die Gottheit –« – »Nun?« – »Der *sieht* die
                                          Wahrheit.«

»Ein seltsamer Orakelspruch! Du selbst,
Du hättest also niemals ihn gehoben?«
»Ich? Wahrlich nicht! Und war auch nie dazu   35
Versucht.« – »Das fass ich nicht. Wenn von der Wahrheit
Nur diese dünne Scheidewand mich trennte –«
»Und ein Gesetz«, fällt ihm sein Führer ein.
»Gewichtiger, mein Sohn, als du es meinst,
Ist dieser dünne Flor — für deine Hand   40
Zwar leicht, doch zentnerschwer für dein Gewissen.«

Der Jüngling ging gedankenvoll nach Hause.
Ihm raubt des Wissens brennende Begier
Den Schlaf, er wälzt sich glühend auf dem Lager
Und rafft sich auf um Mitternacht. Zum Tempel   45
Führt unfreiwillig ihn der scheue Tritt.
Leicht ward es ihm, die Mauer zu ersteigen,
Und mitten in das Innre der Rotonde
Trägt ein beherzter Sprung den Wagenden.

Hier steht er nun, und grauenvoll umfängt   50
Den Einsamen die lebenlose Stille,
Die nur der Tritte hohler Widerhall
In den geheimen Grüften unterbricht.
Von oben durch der Kuppel Öffnung wirft
Der Mond den bleichen, silberblauen Schein,   55
Und furchtbar wie ein gegenwärtger Gott
Erglänzt durch des Gewölbes Finsternisse
In ihrem langen Schleier die Gestalt.

Er tritt hinan mit ungewissem Schritt,
Schon will die freche Hand das Heilige berühren,   60
Da zuckt es heiß und kühl durch sein Gebein
Und stößt ihn weg mit unsichtbarem Arme.
Unglücklicher, was willst du tun? So ruft
In seinem Innern eine treue Stimme.
Versuchen den Allheiligen willst du?   65

Kein Sterblicher, sprach des Orakels Mund,
Rückt diesen Schleier, bis ich selbst ihn hebe.
Doch setzte nicht derselbe Mund hinzu:
Wer diesen Schleier hebt, soll Wahrheit schauen.
»Sei hinter ihm, was will! Ich heb ihn auf.«   70
(Er rufts mit lauter Stimm.) »Ich will sie schauen.«
                                          Schauen!
Gellt ihm ein langes Echo spottend nach.

Er sprichts und hat den Schleier aufgedeckt.
Nun, fragt ihr, und was zeigte sich ihm hier?
Ich weiß es nicht. Besinnungslos und bleich,   75
So fanden ihn am andern Tag die Priester
Am Fußgestell der Isis ausgestreckt.
Was er allda gesehen und erfahren,
Hat seine Zunge nie bekannt. Auf ewig
War seines Lebens Heiterkeit dahin,   80
Ihn riß ein tiefer Gram zum frühen Grabe.
»Weh dem«, dies war sein warnungsvolles Wort,
Wenn ungestüme Frager in ihn drangen,
»Weh dem, der zu der Wahrheit geht durch Schuld,
Sie wird ihm nimmermehr erfreulich sein.«   85

Die Ideale

So willst du treulos von mir scheiden
Mit deinen holden Phantasien,
Mit deinen Schmerzen, deinen Freuden,
Mit allen unerbittlich fliehn?
Kann nichts dich, Fliehende, verweilen,   5
O! meines Lebens goldne Zeit?
Vergebens, deine Wellen eilen
Hinab ins Meer der Ewigkeit.

Erloschen sind die heitern Sonnen,
Die meiner Jugend Pfad erhellt,   10
Die Ideale sind zerronnen,
Die einst das trunkne Herz geschwellt,
Er ist dahin, der süße Glaube
An Wesen, die mein Traum gebar,
Der rauhen Wirklichkeit zum Raube,   15
Was einst so schön, so göttlich war.

Wie einst mit flehendem Verlangen
Pygmalion den Stein umschloß,
Bis in des Marmors kalte Wangen
Empfindung glühend sich ergoß,   20
So schlang ich mich mit Liebesarmen
Um die Natur, mit Jugendlust,
Bis sie zu atmen, zu erwarmen
Begann an meiner Dichterbrust,

Und, teilend meine Flammentriebe,   25
Die Stumme eine Sprache fand,
Mir wiedergab den Kuß der Liebe
Und meines Herzens Klang verstand;
Da lebte mir der Baum, die Rose,
Mir sang der Quellen Silberfall,   30
Es fühlte selbst das Seelenlose
Von meines Lebens Widerhall.

Es dehnte mit allmächtgem Streben
Die enge Brust ein kreisend All,
Herauszutreten in das Leben   35
In Tat und Wort, in Bild und Schall.
Wie groß war diese Welt gestaltet,
Solang die Knospe sie noch barg,
Wie wenig, ach! hat sich entfaltet,
Dies wenige, wie klein und karg!   40

Wie sprang, von kühnem Mut beflügelt,
Beglückt in seines Traumes Wahn,
Von keiner Sorge noch gezügelt,
Der Jüngling in des Lebens Bahn.
Bis an des Äthers bleichste Sterne   45
Erhob ihn der Entwürfe Flug,
Nichts war so hoch und nichts so ferne,
Wohin ihr Flügel ihn nicht trug.

Wie leicht ward er dahingetragen,
Was war dem Glücklichen zu schwer!   50
Wie tanzte vor des Lebens Wagen
Die luftige Begleitung her!
Die Liebe mit dem süßen Lohne,
Das Glück mit seinem goldnen Kranz,
Der Ruhm mit seiner Sternenkrone,   55
Die Wahrheit in der Sonne Glanz!

Doch, ach! schon auf des Weges Mitte
Verloren die Begleiter sich,
Sie wandten treulos ihre Schritte,
Und einer nach dem andern wich.   60
Leichtfüßig war das Glück entflogen,
Des Wissens Durst blieb ungestillt,
Des Zweifels finstre Wetter zogen
Sich um der Wahrheit Sonnenbild.

Ich sah des Ruhmes heilge Kränze   65
Auf der gemeinen Stirn entweiht.
Ach, allzuschnell nach kurzem Lenze,
Entfloh die schöne Liebeszeit.
Und immer stiller wards und immer
Verlaßner auf dem rauhen Steg,   70
Kaum warf noch einen bleichen Schimmer
Die Hoffnung auf den finstern Weg.

Von all dem rauschenden Geleite,
Wer harrte liebend bei mir aus?
Wer steht mir tröstend noch zur Seite   75
Und folgt mir bis zum finstern Haus?
Du, die du alle Wunden heilest,
Der Freundschaft leise, zarte Hand,
Des Lebens Bürden liebend teilest,
Du, die ich frühe sucht' und fand,   80

Und du, die gern sich mit ihr gattet,
Wie sie der Seele Sturm beschwört,
Beschäftigung, die nie ermattet,
Die langsam schafft, doch nie zerstört,
Die zu dem Bau der Ewigkeiten   85
Zwar Sandkorn nur für Sandkorn reicht,
Doch von der großen Schuld der Zeiten
Minuten, Tage, Jahre streicht.

Sprüche des Konfuzius

I

Dreifach ist der Schritt der Zeit:
Zögernd kommt die Zukunft hergezogen,
Pfeilschnell ist das Jetzt entflogen,
Ewig still steht die Vergangenheit.

Keine Ungeduld beflügelt   5
Ihren Schritt, wenn sie verweilt.
Keine Furcht, kein Zweifeln zügelt
Ihren Lauf, wenn sie enteilt.
Keine Reu, kein Zaubersegen
Kann die Stehende bewegen.   10

Möchtest du beglückt und weise
Endigen des Lebens Reise,
Nimm die Zögernde zum Rat,
Nicht zum Werkzeug deiner Tat.
Wähle nicht die Fliehende zum Freund,   15
Nicht die Bleibende zum Feind.

II

Dreifach ist des Raumes Maß:
   Rastlos fort ohn Unterlaß
   Strebt die *Länge*, fort ins Weite
   Endlos gießet sich die *Breite*,
   Grundlos senkt die *Tiefe* sich.   5

Dir ein Bild sind sie gegeben:
   Rastlos vorwärts mußt du streben,
   Nie ermüdet stille stehn,
   Willst du die Vollendung sehn;
   Mußt ins Breite dich entfalten,   10
   Soll sich dir die Welt gestalten;
   In die Tiefe mußt du steigen,
   Soll sich dir das Wesen zeigen.
Nur Beharrung führt zum Ziel,
Nur die Fülle führt zur Klarheit,   15
Und im Abgrund wohnt die Wahrheit.

Hoffnung

Es reden und träumen die Menschen viel
   Von bessern künftigen Tagen,
Nach einem glücklichen goldenen Ziel
   Sieht man sie rennen und jagen.
Die Welt wird alt und wird wieder jung,   5
Doch der Mensch hofft immer Verbesserung.

Die Hoffnung führt ihn ins Leben ein,
  Sie umflattert den fröhlichen Knaben,
Den Jüngling locket ihr Zauberschein,
  Sie wird mit dem Greis nicht begraben, 10
Denn beschließt er im Grabe den müden Lauf,
Noch am Grabe pflanzt er – die Hoffnung auf.

Es ist kein leerer schmeichelnder Wahn,
  Erzeugt im Gehirne des Toren,
Im Herzen kündet es laut sich an: 15
  Zu was Besserm sind wir geboren!
Und was die innere Stimme spricht,
Das täuscht die hoffende Seele nicht.

Pegasus im Joche

Auf einen Pferdemarkt – vielleicht zu Haymarket,
Wo andre Dinge noch in Ware sich verwandeln,
Bracht einst ein hungriger Poet
Der Musen Roß, es zu verhandeln.

Hell wieherte der Hippogryph 5
Und bäumte sich in prächtiger Parade;
Erstaunt blieb jeder stehn und rief:
»Das edle, königliche Tier! Nur schade,
Daß seinen schlanken Wuchs ein häßlich Flügelpaar
Entstellt! Den schönsten Postzug würd es zieren. 10
Die Rasse, sagen sie, sei rar,
Doch wer wird durch die Luft kutschieren?
Und keiner will sein Geld verlieren.«
Ein Pachter endlich faßte Mut.
»Die Flügel zwar«, spricht er, »die schaffen keinen Nutzen,
Doch die kann man ja binden oder stutzen, 16
Dann ist das Pferd zum Ziehen immer gut.

Ein zwanzig Pfund, die will ich wohl dran wagen.«
Der Täuscher, hochvergnügt, die Ware loszuschlagen,
Schlägt hurtig ein. »Ein Mann, ein Wort!«   20
Und Hans trabt frisch mit seiner Beute fort.

Das edle Tier wird eingespannt.
Doch fühlt es kaum die ungewohnte Bürde,
So rennt es fort mit wilder Flugbegierde
Und wirft, von edelm Grimm entbrannt,   25
Den Karren um an eines Abgrunds Rand.
»Schon gut«, denkt Hans. »Allein darf ich dem tollen Tiere
Kein Fuhrwerk mehr vertraun. Erfahrung macht schon klug.
Doch morgen fahr ich Passagiere,
Da stell ich es als Vorspann in den Zug.   30
Die muntre Krabbe soll zwei Pferde mir ersparen,
Der Koller gibt sich mit den Jahren.«

Der Anfang ging ganz gut. Das leichtbeschwingte Pferd
Belebt der Klepper Schritt, und pfeilschnell fliegt der
                                                    Wagen.
Doch was geschieht? Den Blick den Wolken zugekehrt,   35
Und ungewohnt, den Grund mit festem Huf zu schlagen,
Verläßt es bald der Räder sichre Spur,
Und treu der stärkeren Natur,
Durchrennt es Sumpf und Moor, geackert Feld und
                                                    Hecken;
Der gleiche Taumel faßt das ganze Postgespann,   40
Kein Rufen hilft, kein Zügel hält es an,
Bis endlich, zu der Wandrer Schrecken,
Der Wagen, wohlgerüttelt und zerschellt,
Auf eines Berges steilem Gipfel hält.

»Das geht nicht zu mit rechten Dingen«,   45
Spricht Hans mit sehr bedenklichem Gesicht.
»So wird es nimmermehr gelingen;

Laß sehn, ob wir den Tollwurm nicht
Durch magre Kost und Arbeit zwingen.«
Die Probe wird gemacht. Bald ist das schöne Tier,   50
Eh noch drei Tage hingeschwunden,
Zum Schatten abgezehrt. »Ich habs, ich habs gefunden!«
Ruft Hans. »Jetzt frisch, und spannt es mir
Gleich vor den Pflug mit meinem stärksten Stier.«

Gesagt, getan. In lächerlichem Zuge   55
Erblickt man Ochs und Flügelpferd am Pfluge.
Unwillig steigt der Greif und strengt die letzte Macht
Der Sehnen an, den alten Flug zu nehmen.
Umsonst, der Nachbar schreitet mit Bedacht,
Und Phöbus' stolzes Roß muß sich dem Stier bequemen,   60
Bis nun, vom langen Widerstand verzehrt,
Die Kraft aus allen Gliedern schwindet,
Von Gram gebeugt das edle Götterpferd
Zu Boden stürzt und sich im Staube windet.

»Verwünschtes Tier!« bricht endlich Hansens Grimm   65
Laut scheltend aus, indem die Hiebe flogen.
»So bist du denn zum Ackern selbst zu schlimm?
Mich hat ein Schelm mit dir betrogen.«

Indem er noch in seines Zornes Wut
Die Peitsche schwingt, kommt flink und wohlgemut   70
Ein lustiger Gesell die Straße hergezogen.
Die Zither klingt in seiner leichten Hand,
Und durch den blonden Schmuck der Haare
Schlingt zierlich sich ein goldnes Band.
»Wohin, Freund, mit dem wunderlichen Paare?«   75
Ruft er den Baur von weitem an.
»Der Vogel und der Ochs an *einem* Seile,
Ich bitte dich, welch ein Gespann!
Willst du auf eine kleine Weile
Dein Pferd zur Probe mir vertraun,   80
Gib acht, du sollst dein Wunder schaun!«

Der Hippogryph wird ausgespannt,
Und lächelnd schwingt sich ihm der Jüngling auf den
                                          Rücken.
Kaum fühlt das Tier des Meisters sichre Hand,
So knirscht es in des Zügels Band   85
Und steigt, und Blitze sprühn aus den beseelten Blicken,
Nicht mehr das vorge Wesen, königlich,
Ein Geist, ein Gott, erhebt es sich,
Entrollt mit einemmal in Sturmes Wehen
Der Schwingen Pracht, schießt brausend himmelan,   90
Und eh der Blick ihm folgen kann,
Entschwebt es zu den blauen Höhen.

Breite und Tiefe

Es glänzen viele in der Welt,
Sie wissen von allem zu sagen,
Und wo was reizet und wo was gefällt,
Man kann es bei ihnen erfragen,
Man dächte, hört man sie reden laut,   5
Sie hätten wirklich erobert die Braut.

Doch gehn sie aus der Welt ganz still,
Ihr Leben war verloren.
Wer etwas Treffliches leisten will,
Hätt gern was Großes geboren,   10
Der sammle still und unerschlafft
Im kleinsten Punkte die höchste Kraft.

Der Stamm erhebt sich in die Luft
Mit üppig prangenden Zweigen,
Die Blätter glänzen und hauchen Duft,   15
Doch können sie Früchte nicht zeugen,
Der Kern allein im schmalen Raum
Verbirgt den Stolz des Waldes, den Baum.

Die Worte des Glaubens

Drei Worte nenn ich euch, inhaltschwer,
   Sie gehen von Munde zu Munde,
Doch stammen sie nicht von außen her,
   Das Herz nur gibt davon Kunde.
Dem Menschen ist aller Wert geraubt,   5
Wenn er nicht mehr an die drei Worte glaubt.

Der Mensch ist frei geschaffen, ist frei,
   Und würd er in Ketten geboren,
Laßt euch nicht irren des Pöbels Geschrei,
   Nicht den Mißbrauch rasender Toren.   10
Vor dem Sklaven, wenn er die Kette bricht,
Vor dem freien Menschen erzittert nicht.

Und die Tugend, sie ist kein leerer Schall,
   Der Mensch kann sie üben im Leben,
Und sollt er auch straucheln überall,   15
   Er kann nach der göttlichen streben,
Und was kein Verstand der Verständigen sieht,
Das übet in Einfalt ein kindlich Gemüt.

Und ein Gott ist, ein heiliger Wille lebt,
   Wie auch der menschliche wanke,   20
Hoch über der Zeit und dem Raume webt
   Lebendig der höchste Gedanke,
Und ob alles in ewigem Wechsel kreist,
Es beharret im Wechsel ein ruhiger Geist.

Die drei Worte bewahret euch, inhaltschwer,   25
   Sie pflanzet von Munde zu Munde,
Und stammen sie gleich nicht von außen her,
   Euer Innres gibt davon Kunde,
Dem Menschen ist nimmer sein Wert geraubt,
Solang er noch an die drei Worte glaubt.   30

Die Worte des Wahns

Drei Worte hört man, bedeutungsschwer,
    Im Munde der Guten und Besten;
Sie schallen vergeblich, ihr Klang ist leer,
    Sie können nicht helfen und trösten.
Verscherzt ist dem Menschen des Lebens Frucht,   5
    Solang er die Schatten zu haschen sucht.

Solang er glaubt an die Goldene Zeit,
    Wo das Rechte, das Gute wird siegen, –
Das Rechte, das Gute führt ewig Streit,
    Nie wird der Feind ihm erliegen,   10
Und erstickst du ihn nicht in den Lüften frei,
    Stets wächst ihm die Kraft auf der Erde neu.

Solang er glaubt, daß das buhlende Glück
    Sich dem Edeln vereinigen werde –
Dem Schlechten folgt es mit Liebesblick,   15
    Nicht dem Guten gehöret die Erde.
Er ist ein Fremdling, er wandert aus
    Und suchet ein unvergänglich Haus.

Solang er glaubt, daß dem irdschen Verstand
    Die Wahrheit je wird erscheinen,   20
Ihren Schleier hebt keine sterbliche Hand,
    Wir können nur raten und meinen.
Du kerkerst den Geist in ein tönend Wort,
    Doch der freie wandelt im Sturme fort.

Drum, edle Seele, entreiß dich dem Wahn   25
    Und den himmlischen Glauben bewahre!
Was kein Ohr vernahm, was die Augen nicht sahn,
    Es ist dennoch, das Schöne, das Wahre!
Es ist nicht draußen, da sucht es der Tor,
    Es ist *in* dir, du bringst es ewig hervor.   30

Das Eleusische Fest

Windet zum Kranze die goldenen Ähren,
Flechte auch blaue Cyanen hinein!
Freude soll jedes Auge verklären,
Denn die Königin ziehet ein,
Die Bezähmerin wilder Sitten,   5
Die den Menschen zum Menschen gesellt
Und in friedliche feste Hütten
Wandelte das bewegliche Zelt.

Scheu in des Gebirges Klüften
Barg der Troglodyte sich,   10
Der Nomade ließ die Triften
Wüste liegen, wo er strich,
Mit dem Wurfspieß, mit dem Bogen
Schritt der Jäger durch das Land,
Weh dem Fremdling, den die Wogen   15
Warfen an den Unglücksstrand!

Und auf ihrem Pfad begrüßte,
Irrend nach des Kindes Spur,
Ceres die verlaßne Küste,
Ach, da grünte keine Flur!   20
Daß sie hier vertraulich weile,
Ist kein Obdach ihr gewährt,
Keines Tempels heitre Säule
Zeuget, daß man Götter ehrt.

Keine Frucht der süßen Ähren   25
Lädt zum reinen Mahl sie ein,
Nur auf gräßlichen Altären
Dorret menschliches Gebein.
Ja, so weit sie wandernd kreiste,
Fand sie Elend überall,   30
Und in ihrem großen Geiste
Jammert sie des Menschen Fall.

»Find ich so den Menschen wieder,
Dem wir unser Bild geliehn,
Dessen schöngestalte Glieder   35
Droben im Olympus blühn?
Gaben wir ihm zum Besitze
Nicht der Erde Götterschoß,
Und auf seinem Königsitze
Schweift er elend, heimatlos?   40

Fühlt kein Gott mit ihm Erbarmen,
Keiner aus der Selgen Chor
Hebet ihn mit Wunderarmen
Aus der tiefen Schmach empor?
In des Himmels selgen Höhen   45
Rühret sie nicht fremder Schmerz,
Doch der Menschheit Angst und Wehen
Fühlet mein gequältes Herz.

Daß der Mensch zum Menschen werde,
Stift er einen ewgen Bund   50
Gläubig mit der frommen Erde,
Seinem mütterlichen Grund,
Ehre das Gesetz der Zeiten
Und der Monde heilgen Gang,
Welche still gemessen schreiten   55
Im melodischen Gesang.«

Und den Nebel teilt sie leise,
Der den Blicken sie verhüllt,
Plötzlich in der Wilden Kreise
Steht sie da, ein Götterbild.   60
Schwelgend bei dem Siegesmahle
Findet sie die rohe Schar,
Und die blutgefüllte Schale
Bringt man ihr zum Opfer dar.

Aber schaudernd, mit Entsetzen   65
Wendet sie sich weg und spricht:
»Blutge Tigermahle netzen
Eines Gottes Lippen nicht.
Reine Opfer will er haben,
Früchte, die der Herbst beschert,   70
Mit des Feldes frommen Gaben
Wird der Heilige verehrt.«

Und sie nimmt die Wucht des Speeres
Aus des Jägers rauher Hand,
Mit dem Schaft des Mordgewehres   75
Furchet sie den leichten Sand,
Nimmt von ihres Kranzes Spitze
Einen Kern, mit Kraft gefüllt,
Senkt ihn in die zarte Ritze,
Und der Trieb des Keimes schwillt.   80

Und mit grünen Halmen schmücket
Sich der Boden alsobald,
Und so weit das Auge blicket,
Wogt es wie ein goldner Wald.
Lächelnd segnet sie die Erde,   85
Flicht der ersten Garbe Bund,
Wählt den Feldstein sich zum Herde,
Und es spricht der Göttin Mund:

»Vater Zeus, der über alle
Götter herrscht in Äthers Höhn!   90
Daß dies Opfer dir gefalle,
Laß ein Zeichen jetzt geschehn!
Und dem unglückselgen Volke,
Das dich, Hoher, noch nicht nennt,
Nimm hinweg des Auges Wolke,   95
Daß es seinen Gott erkennt!«

Und es hört der Schwester Flehen
Zeus auf seinem hohen Sitz,
Donnernd aus den blauen Höhen
Wirft er den gezackten Blitz.   100
Prasselnd fängt es an zu lohen,
Hebt sich wirbelnd vom Altar,
Und darüber schwebt in hohen
Kreisen sein geschwinder Aar.

Und gerührt zu der Herrscherin Füßen   105
Stürzt sich der Menge freudig Gewühl,
Und die rohen Seelen zerfließen
In der Menschlichkeit erstem Gefühl,
Werfen von sich die blutige Wehre,
Öffnen den düstergebundenen Sinn   110
Und empfangen die göttliche Lehre
Aus dem Munde der Königin.

Und von ihren Thronen steigen
Alle Himmlischen herab,
Themis selber führt den Reigen,   115
Und mit dem gerechten Stab
Mißt sie jedem seine Rechte,
Setzet selbst der Grenze Stein,
Und des Styx verborgne Mächte
Ladet sie zu Zeugen ein.   120

Und es kommt der Gott der Esse,
Zeus' erfindungsreicher Sohn,
Bildner künstlicher Gefäße,
Hochgelehrt in Erzt und Ton.
Und er lehrt die Kunst der Zange   125
Und der Blasebälge Zug,
Unter seines Hammers Zwange
Bildet sich zuerst der Pflug.

Und Minerva, hoch vor allen
Ragend mit gewichtgem Speer,   130
Läßt die Stimme mächtig schallen
Und gebeut dem Götterheer.
Feste Mauren will sie gründen,
Jedem Schutz und Schirm zu sein,
Die zerstreute Welt zu binden   135
In vertraulichem Verein.

Und sie lenkt die Herrscherschritte
Durch des Feldes weiten Plan,
Und an ihres Fußes Tritte
Heftet sich der Grenzgott an,   140
Messend führet sie die Kette
Um des Hügels grünen Saum,
Auch des wilden Stromes Bette
Schließt sie in den heilgen Raum.

Alle Nymphen, Oreaden,   145
Die der schnellen Artemis
Folgen auf des Berges Pfaden,
Schwingend ihren Jägerspieß,
Alle kommen, alle legen
Hände an, der Jubel schallt,   150
Und von ihrer Äxte Schlägen
Krachend stürzt der Fichtenwald.

Auch aus seiner grünen Welle
Steigt der schilfbekränzte Gott,
Wälzt den schweren Floß zur Stelle   155
Auf der Göttin Machtgebot,
Und die leichtgeschürzten Stunden
Fliegen ans Geschäft, gewandt,
Und die rauhen Stämme runden
Zierlich sich in ihrer Hand.   160

Auch den Meergott sieht man eilen,
Rasch mit des Tridentes Stoß
Bricht er die granitnen Säulen
Aus dem Erdgerippe los,
Schwingt sie in gewaltgen Händen   165
Hoch wie einen leichten Ball,
Und mit Hermes, dem behenden,
Türmet er der Mauren Wall.

Aber aus den goldnen Saiten
Lockt Apoll die Harmonie   170
Und das holde Maß der Zeiten
Und die Macht der Melodie.
Mit neunstimmigem Gesange
Fallen die Kamönen ein,
Leise nach des Liedes Klange   175
Füget sich der Stein zum Stein.

Und der Tore weite Flügel
Setzet mit erfahrner Hand
Cybele und fügt die Riegel
Und der Schlösser festes Band.   180
Schnell durch rasche Götterhände
Ist der Wunderbau vollbracht,
Und der Tempel heitre Wände
Glänzen schon in Festespracht.

Und mit einem Kranz von Myrten   185
Naht die Götterkönigin,
Und sie führt den schönsten Hirten
Zu der schönsten Hirtin hin.
Venus mit dem holden Knaben
Schmücket selbst das erste Paar,   190
Alle Götter bringen Gaben
Segnend den Vermählten dar.

Und die neuen Bürger ziehen,
Von der Götter selgem Chor
Eingeführt, mit Harmonien   195
In das gastlich offne Tor,
Und das Priesteramt verwaltet
Ceres am Altar des Zeus,
Segnend ihre Hand gefaltet
Spricht sie zu des Volkes Kreis: 200

»Freiheit liebt das Tier der Wüste,
Frei im Äther herrscht der Gott,
Ihrer Brust gewaltge Lüste
Zähmet das Naturgebot;
Doch der Mensch, in ihrer Mitte,   205
Soll sich an den Menschen reihn,
Und allein durch seine Sitte
Kann er frei und mächtig sein.«

Windet zum Kranze die goldenen Ähren,
Flechtet auch blaue Cyanen hinein!   210
Freude soll jedes Auge verklären,
Denn die Königin ziehet ein,
Die uns die süße Heimat gegeben,
Die den Menschen zum Menschen gesellt,
Unser Gesang soll sie festlich erheben,   215
Die beglückende Mutter der Welt.

Das Mädchen von Orleans

Das edle Bild der Menschheit zu verhöhnen,
Im tiefsten Staube wälzte dich der Spott,
Krieg führt der Witz auf ewig mit dem Schönen,
Er glaubt nicht an den Engel und den Gott,
Dem Herzen will er seine Schätze rauben,   5
Den Wahn bekriegt er und verletzt den Glauben.

Doch, wie du selbst, aus kindlichem Geschlechte,
Selbst eine fromme Schäferin wie du,
Reicht dir die Dichtkunst ihre Götterrechte,
Schwingt sich mit dir den ewgen Sternen zu,   10
Mit einer Glorie hat sie dich umgeben,
Dich schuf das Herz, du wirst unsterblich leben.

Es liebt die Welt, das Strahlende zu schwärzen
Und das Erhabne in den Staub zu ziehn,
Doch fürchte nicht! Es gibt noch schöne Herzen,   15
Die für das Hohe, Herrliche entglühn,
Den lauten Markt mag Momus unterhalten,
Ein edler Sinn liebt edlere Gestalten.

Die Gunst des Augenblicks

Und so finden wir uns wieder
   In dem heitern bunten Reihn,
Und es soll der Kranz der Lieder
   Frisch und grün geflochten sein.

Aber wem der Götter bringen   5
   Wir des Liedes ersten Zoll?
Ihn vor allen laßt uns singen,
   Der die Freude schaffen soll.

Denn was frommt es, daß mit Leben
   Ceres den Altar geschmückt?   10
Daß den Purpursaft der Reben
   Bacchus in die Schale drückt?

Zückt vom Himmel nicht der Funken,
   Der den Herd in Flammen setzt,
Ist der Geist nicht feuertrunken,   15
   Und das Herz bleibt unergetzt.

Aus den Wolken muß es fallen,
  Aus der Götter Schoß das Glück,
Und der mächtigste von allen
  Herrschern ist der Augenblick.   20

Von dem allerersten Werden
  Der unendlichen Natur
Alles Göttliche auf Erden
  Ist ein Lichtgedanke nur.

Langsam in dem Lauf der Horen   25
  Füget sich der Stein zum Stein,
Schnell, wie es der Geist geboren,
  Will das Werk empfunden sein.

Wie im hellen Sonnenblicke
  Sich ein Farbenteppich webt,   30
Wie auf ihrer bunten Brücke
  Iris durch den Himmel schwebt,

So ist jede schöne Gabe
  Flüchtig wie des Blitzes Schein,
Schnell in ihrem düstern Grabe   35
  Schließt die Nacht sie wieder ein.

Rätsel aus »Turandot«

Das Auge

Kennst du das Bild auf zartem Grunde,
  Es gibt sich selber Licht und Glanz.
Ein andres ists zu jeder Stunde,
  Und immer ist es frisch und ganz.
Im engsten Raum ists ausgeführet,   5
  Der kleinste Rahmen faßt es ein,
Doch alle Größe, die dich rühret,
  Kennst du durch dieses Bild allein.

Und kannst du den Kristall mir nennen,
  Ihm gleicht an Wert kein Edelstein,   10
Er leuchtet, ohne je zu brennen,
  Das ganze Weltall saugt er ein.
Der Himmel selbst ist abgemalet
  In seinem wundervollen Ring,
Und doch ist, was er von sich strahlet,   15
  Noch schöner, als was er empfing.

————

Dies zarte Bild, das in den kleinsten Rahmen
Gefaßt, das Unermeßliche uns zeigt,
Und der Kristall, in dem dies Bild sich malt,
Und der noch Schönres von sich strahlt,   20
Er ist das *Aug*, in das die Welt sich drückt,
Dein Auge ists, wenn es mir Liebe blickt.

Der Pflug

Wie heißt das Ding, das wenige schätzen,
Doch ziers des größten Kaisers Hand,
Es ist gemacht, um zu verletzen,
Am nächsten ists dem Schwert verwandt.

Kein Blut vergießts und macht doch tausend Wunden,   5
Niemand beraubts und macht doch reich,
Es hat den Erdkreis überwunden,
Es macht das Leben sanft und gleich.

Die größten Reiche hats gegründet,
Die ältsten Städte hats erbaut,   10
Doch niemals hat es Krieg entzündet,
Und Heil dem Volk, das ihm vertraut!

———

Dies Ding von Eisen, das nur wenge schätzen,
Das Chinas Kaiser selbst in seiner Hand
Zu Ehren bringt am ersten Tag des Jahrs,   15
Dies Werkzeug, das unschuldger als das Schwert
Dem frommen Fleiß den Erdkreis unterworfen –
Wer träte aus den öden, wüsten Steppen
Der Tartarei, wo nur der Jäger schwärmt,
Der Hirte weidet, in *dies* blühende Land   20
Und sähe rings die Saatgefilde grünen
Und hundert volkbelebte Städte steigen,
Von friedlichen Gesetzen still beglückt,
Und ehrte nicht das köstliche Geräte,
Das allen diesen Segen schuf – den *Pflug*?   25

Der Regenbogen

Von Perlen baut sich eine Brücke
   Hoch über einen grauen See,
Sie baut sich auf im Augenblicke,
   Und schwindelnd steigt sie in die Höh.

Der höchsten Schiffe höchste Masten   5
   Ziehn unter ihrem Bogen hin,
Sie selber trug noch keine Lasten
   Und scheint, wie du ihr nahst, zu fliehn.

Sie *wird* erst *mit* dem Strom, und schwindet,
   Sowie des Wassers Flut versiegt.   10
So sprich, *wo* sich die Brücke findet,
   Und wer sie künstlich hat gefügt?

––––––

Diese Brücke, die von Perlen sich erbaut,
Sich glänzend hebt und in die Lüfte gründet,
Die mit dem Strom erst wird und mit dem Strome
                           schwindet   15
Und über die kein Wandrer noch gezogen,
Am Himmel siehst du sie, sie heißt – *der Regenbogen.*

Der Funke

Ich wohne in einem steinernen Haus,
Da lieg ich verborgen und schlafe,
Doch ich trete hervor, ich eile heraus,
Gefodert mit eiserner Waffe.
Erst bin ich unscheinbar und schwach und klein,   5
Mich kann dein Atem bezwingen,

Ein Regentropfen schon saugt mich ein,
Doch mir wachsen im Siege die Schwingen,
Wenn die mächtige Schwester sich zu mir gesellt,
Erwachs ich zum furchtbarn Gebieter der Welt.   10

Verzeichnis der Gedichtanfänge

Inhalt

Elegien

Sprüche und Votivtafeln

Philosophische Gedichte